TGAU Ffrangeg

Y Llawlyfr Adolygu

CGP

Cynnwys

Adran 1 – Cyffredinol

Adran 2 – Geiriaduron ac Arholiadau

Adran 3 – Tywydd, Teithio a Gwyliau

Adran 4 – Tref Ac Ardal

Adran 5 – Ysgol A Gwaith

Adran 6 – Amser Hamdden A Hobïau

ADRAN 7 – SIOPA, BWYD A DIOD

ADRAN 8 – FI FY HUN, TEULU, FFRINDIAU A BYWYD CARTREF

ADRAN 9 – LLYTHYRAU A CHYFATHREBU

ADRAN 10 – Y BYD EHANGACH

ADRAN 11 – GRAMADEG

Rhifau a meintiau

Un dau tri, ffwrdd â ni!

Un, deux, trois – un, dau tri ...

1. Mae'r dechrau'n ddigon hawdd. Dysgwch o ddim hyd at ddeg – digon syml.

0 zéro
1 un
2 deux
3 trois
4 quatre
5 cinq
6 six
7 sept
8 huit
9 neuf
10 dix

2. Mae'r holl rifau o 11 hyd at 16 yn gorffen â 'ze'. Ond mae 17, 18 ac 19 yn 'deg-saith' ac ati.

11 onze
12 douze
13 treize
14 quatorze
15 quinze
16 seize
17 dix-sept
18 dix-huit
19 dix-neuf

3. Mae'r rhan fwayf o'r rhifau 'deg' yn gorffen â 'nte' (ar wahân i 'vingt') ond mae 70 yn 'chwe deg deg' ac 80 yn 'bedwar 20' (pedwar ugain). Mae 90 yn 'bedwar ugain deg' – tipyn o waith cofio!!

20 vingt
30 trente
40 quarante
50 cinquante
60 soixante
70 soixante-dix
80 quatre-vingts
90 quatre-vingt-dix

21 vingt et un
22 vingt-deux
23 vingt-trois
71 soixante et onze
72 soixante-douze
79 soixante-dix-neuf
82 quatre-vingt-deux
95 quatre-vingt-quinze
98 quatre-vingt-dix-huit

100 cent
101 cent un
623 six cent vingt-trois
1000 mille
1,000,000 un million

4. Mae'r rhifau rhwng y degau yn debyg i'r Gymraeg a'r cwbl sydd angen ei gofio yw rhoi 'et un' pan fydd rhifau yn gorffen ag 1. Gyda'r 70au a'r 90au ychwanegwch yr 'arddegau' at 'soixante' neu 'quatre-vingt'.

soixante-treize = saith deg tri

5. Pan ddewch at gannoedd a miloedd, rhowch cent, deux cent, mille (ac ati) o flaen y rhif. Yn Ffrangeg mae dyddiad fel 1900 yn cael ei ddweud fel yn y Saesneg : 'nineteen hundred'.

dix-neuf cent quarante-sept = 1947

1900 40 7

Ychwanegwch -ième at y rhif i gael ail, trydydd, ac ati ...

Mae'r rhain yn hawdd – ychwanegwch 'ième' at y rhif. Ond '1af' yw 'premier' (gwr.) neu 'première' (ben.).

1af premier, première
2il deuxième
3ydd troisième
4ydd quatrième
5ed cinquième
6ed sixième
7fed septième
8fed huitième
9fed neuvième
10fed dixième
20fed vingtième
21ain vingt et unième
100fed centième

Gofalwch eich bod yn sillafu'r geiriau pinc yn gywir.
A chofiwch fod geiriau sy'n diweddu ag 'e' (fel quatre) yn colli'r 'e' (quatrième).

Prenez la deuxième rue à gauche.

= Cymerwch yr ail stryd ar y chwith.

Mae 1af yn cael ei ysgrifennu 1er, neu 1ère. Mae 2il yn cael ei ysgrifennu 2ème, ac ati.

Combien? Faint?/Sawl?

Mae'r geiriau hyn sy'n mynegi 'faint' neu 'sawl' yn bwysig. Mae cryn dipyn ohonynt i'w dysgu, ond ysgrifennwch bob un mewn gwahanol frawddegau – gofalwch nad ydych yn twyllo ac yn anghofio'r un ohonynt.

J'ai toutes les pommes. = Mae'r holl afalau gen i.

Chaque maison est verte. = Mae pob tŷ yn wyrdd.

... i gyd/yr holl ... (gwr. lluosog) : tous les
arall: d'autres
rhai: quelques
nifer o/amryw: plusieurs
llawer o: beaucoup de
ychydig o: peu de
... i gyd/yr holl ... (unigol): Tout le / Toute la

Mae'n sicr eich bod yn gwybod ychydig am rifau yn barod – gorau oll. Gallwch dreulio mwy o amser felly yn gwirio eich bod yn gwybod yr hyn sydd ar weddill y dudalen. Dysgwch yr holl eiriau hyn sy'n ymwneud â rhifau a symiau. Y ffordd orau o wirio yw cuddio'r dudalen, ac yna ceisio ysgrifennu popeth – yn syth.

Amser a dyddiadau

Mae angen i chi allu dweud faint yw hi o'r gloch a phryd y byddwch chi'n gwneud pethau – felly os na allwch chi wneud hyn, dysgwch nawr.

Quelle heure est-il? Faint o'r gloch yw hi?

Mae amryw o ffyrdd o ddweud faint o'r gloch yw hi yn Ffrangeg. Wrth gwrs mae'n rhaid i chi ddysgu pob un ohonynt.

Quelle heure est-il? = Faint o'r gloch yw hi?

1) Rhywbeth o'r gloch:

Mae hi'n 1 o'r gloch: Il est une heure
Mae hi'n ddau o'r gloch: Il est deux heures
Mae hi'n 8 o'r gloch yr hwyr: Il est vingt heures

2) Chwarter i a chwarter wedi, hanner awr wedi:

(Mae hi'n) chwarter wedi dau: (Il est) deux heures et quart
(Mae hi'n) hanner awr wedi dau: (Il est) deux heures et demie
(Mae hi'n) chwarter i dri: (Il est) trois heures moins le quart

3) '... wedi' ac '... i':

(Mae hi'n) ugain munud wedi saith: (Il est) sept heures vingt
(Mae hi'n) ddeuddeng munud wedi wyth: (Il est) huit heures douze
(Mae hi'n) ddeng munud i ddau: (Il est) deux heures moins dix

4) Y cloc 24-awr:
Mae hwn yn cael ei ddefnyddio'n aml iawn yn Ffrainc – ac mae'n haws hefyd.

03.14: (Il est) trois heures quatorze
20.32: (Il est) vingt heures trente-deux
19.55: (Il est) dix-neuf heures cinquante-cinq

Rydych yn defnyddio 'le' gyda holl ddyddiau'r wythnos

Mwy o 'fanion sylfaenol hanfodol' – ffordd o ennill marciau syml yn yr arholiadau.

lundi	mardi	mercredi	jeudi	vendredi	samedi	dimanche
					1	2
3	4	5	6	7	8	9
10	11	12	13	14	15	16
17	18	19	20	21	22	23
24	25	26	27	28	29	30

Dyddiau'r wythnos:
Llun: lundi
Mawrth: mardi
Mercher: mercredi
Iau: jeudi
Gwener: vendredi
Sadwrn: samedi
Sul: dimanche

Mae dyddiau'r wythnos i gyd yn wrywaidd. Os ydych eisiau dweud '(ar) ddydd Llun', rydych yn dweud 'lundi' – ond os ydych eisiau dweud 'ar ddydd Llun (fel arfer)' rydych yn dweud 'le lundi'. Peidiwch â defnyddio priflythrennau ar ddechrau enwau dyddiau.

Je fais les courses le mardi.
= Rydw i'n mynd i siopa ar ddydd Mawrth (bob dydd Mawrth).

Je pars mardi. = Rydw i'n gadael ar ddydd Mawrth.

Rhai geiriau defnyddiol sy'n ymwneud â'r wythnos:
heddiw: aujourd'hui
yfory: demain
ddoe: hier
drennydd: après-demain
echdoe: avant-hier
wythnos: la semaine
penwythnos: le week-end
ar ddyddiau Llun: le lundi

Mewn cynlluniau marcio tanlinellir pa mor bwysig yw hi eich bod yn gallu dweud pryd y byddwch yn gwneud pethau. Mae'n hanfodol felly eich bod yn gwybod sut i ddweud dyddiau'r wythnos a phethau fel 'yfory' neu 'penwythnos'. Felly gwnewch yn siŵr fod gennych amser ... ac ewch ati i'w dysgu.

Amser a dyddiadau

Gallwch fentro y byddant yn gofyn rhywbeth fydd yn ymwneud â dyddiad yn yr Arholiad. Pryd ydych chi'n mynd ar eich gwyliau, pryd ydych chi'n cael eich pen-blwydd ... rhywbeth felly. Mae'n sicr o ddigwydd.

Janvier, février, mars, avril ...

Mae enwau'r misoedd yn Ffrangeg yn hynod o debyg i'r enwau Saesneg – gofalwch eich bod yn gwybod beth sy'n wahanol.

Ionawr: janvier
Chwefror: février
Mawrth: mars
Ebrill: avril
Mai: mai
Mehefin: juin
Gorffennaf: juillet
Awst: août
Medi: septembre
Hydref: octobre
Tachwedd: novembre
Rhagfyr: décembre

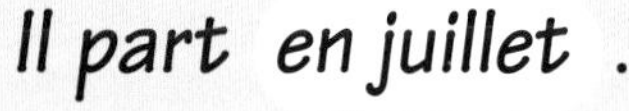

= Mae'n gadael ym mis Gorffennaf.

Mae'r misoedd i gyd yn wrywaidd. Peidiwch â defnyddio priflythrennau.

Rydych yn dweud "y 3 Mai" yn hytrach na "y 3ydd o Fai"

Dyma sut ydych yn dweud y dyddiad. Bydd angen i chi wybod hyn yn sicr i'ch Arholiad Siarad – a fyddwch chi ddim yn rhoi argraff dda i'r arholwyr os na fyddwch yn gwybod y dyddiad.

Cymorth gyda rhifau –gweler tudalen 1

1) Yn Ffrangeg, ni ddywedir "y trydydd o Fai" – ond "y tri Mai". Rhyfedd iawn ynte!

J'arrive le trois octobre. = Rydw i'n dod ar y 3ydd o Hydref.

2) Yr eithriad yw cyntaf. Mae Ffrancwyr yn dweud "y cyntaf Mai" ("le premier mai").

Je suis né(e) le premier mars dix-neuf cent quatre-vingt-cinq. = Cefais fy ngeni ar y cyntaf o Fawrth 1985.

3) A dyma sut y mae ysgrifennu'r dyddiad mewn llythyr:

Londres, le 5 mars 2001 = Llundain, 5ed o Fawrth 2001

Mwy am lythyrau ar dudalennau 66-7.

4) A dyma rai manion pwysig eraill:

yn y flwyddyn 2000: dans l'année deux mille
yn 2001: en deux mille un ← NID 'deux mille et un'

Ce matin – y bore 'ma ... ce soir – heno

Defnyddiwch y rhain gyda'r ymadroddion a'r termau ar y dudalen flaenorol – maen nhw i gyd yn ddefnyddiol iawn pan fyddwch chi'n sôn am drefniadau.

Je fais souvent du ski. = Rydw i'n mynd i sgïo yn aml.

bob amser: toujours
yn aml: souvent
yn anaml: rarement
weithiau: quelquefois
bob pythefnos: tous les quinze jours
bob dydd: chaque jour

Os ydych eisiau dweud nad ydych chi byth yn gwneud rhywbeth ewch i dudalen 95

y bore 'ma: ce matin
y prynhawn 'ma: cet après-midi
heno (min nos): ce soir
heno (nos): cette nuit
bore yfory: demain matin
yr wythnos yma: cette semaine
yr wythnos nesaf: la semaine prochaine
yr wythnos ddiwethaf: la semaine dernière
yn ystod y penwythnos: au week-end

Qu'est-ce que tu fais ce soir ? = Beth wyt ti'n ei wneud heno 'ma?

Dyma waith hynod o bwysig. Fe fydd yn ennill mwy o farciau i chi – ac mae'r gwaith hwn am wahanol gyfnodau yn cael ei grybwyll yn benodol yn y maes llafur. Nid yw mor anodd â hynny chwaith. Mae'n rhaid i chi ddysgu'r ymadrodd 'Qu'est-ce que tu fais ce soir?', a'r geiriau y gallwch eu gosod yn lle 'ce soir'.

Cwrteisi

Byddwch yn colli marciau (ac yn ymddangos yn anghwrtais) os na fyddwch yn defnyddio'r canlynol yn yr arholiad – mae'n hynod o bwysig.

Comment ça va? – Sut ydych chi?

Dysgwch yr ymadroddion hyn – maen nhw'n hollbwysig.

Sut mae?: Ça va?
Sut wyt ti? (wrth siarad â ffrind): Comment vas-tu?
Sut ydych chi? (ffurfiol): Comment allez-vous?

Byddwch yn clywed 'Ça va?' yn aml – dyma ffurf gryno 'Comment ça va?'

Dywedwch hyn pan fyddwch yn cael eich cyflwyno i rywun – ychwanegwch 'e' arall os ydych yn ferch: *Mae'n bleser gen i'ch cyfarfod chi:* Enchanté(e)!

S'il vous plaît – Os gwelwch yn dda ... Merci – Diolch

Mae hwn yn waith digon hawdd – efallai mai dyma'r geiriau Ffrangeg cyntaf i chi eu dysgu. Cofiwch nhw am byth!

s'il vous plaît = os gwelwch yn dda (ffurfiol)

os gweli di'n dda (anffurfiol): s'il te plaît

merci = diolch yn fawr

Croeso/peidiwch â sôn: De rien

Je voudrais – Buaswn i'n hoffi/ Hoffwn

Mae'n fwy cwrtais dweud 'je voudrais' (fe fuaswn i'n hoffi/hoffwn) na 'je veux' (Rydw i eisiau).

Dyma sut y mae dweud yr hoffech chi gael rhywbeth:

Je voudrais du sel. = Hoffwn gael halen.

Dyma sut y mae dweud yr hoffech chi wneud rhywbeth:

Je voudrais parler. = Hoffwn i siarad.

Hoffai hi: Elle voudrait.

Edrychwch ar dudalen 5 i weld ffyrdd eraill o ofyn cwestiynau.

Dyma sut y mae gofyn am rywbeth:
Defnyddiwch 'Gaf fi?' er mwyn bod yn fwy cwrtais.

Est-ce que je peux avoir le sel? = Gaf fi'r halen os gwelwch yn dda?

Ceir mwy o wybodaeth am yr amser amodol ar dudalen 96, a chymorth ynglŷn â gofyn am bethau ar y bwrdd bwyd ar dudalennau 49-51

Je suis désolé(e) – Mae'n ddrwg gen i

Dyma ddwy ffordd o ymddiheuro – dysgwch y ddwy yn ogystal â sut y defnyddir hwy.

Mae'n ddrwg gen i (am rywbeth): Je suis désolé(e)
Maddeua i mi!/Mae'n ddrwg gen i (wrth ffrind): Je m'excuse!

Peidiwch â rhuthro a mynnu cael pethau – neu byddwch yn colli marciau – a ffrindiau.

Esgusodwch fi! (e.e. os ydych chi eisiau gofyn y ffordd i rywun): Pardon Monsieur/Madame!
Excusez-moi Monsieur/Madame!

Bydd y manion pwysig hyn yn help i chi gymdeithasu yn Ffrainc a hefyd byddant yn helpu cryn dipyn arnoch yn yr Arholiadau. Maen nhw'n gwbl hanfodol ac yn rhoi'r argraff eich bod yn gwybod yn iawn sut i siarad Ffrangeg gwych – ac wrth gwrs mae Arholwyr yn hoffi hynny.

Gofyn cwestiynau

Mae'n rhaid i chi allu gofyn cwestiynau – felly dysgwch y rhain.

Quand – Pryd ... Pourquoi – Pam ... Où – Ble/Ym mhle

Dysgwch y geiriau cwestiwn hyn – maen nhw'n bwysig tu hwnt.

pryd?:	quand?
paham?:	pourquoi?
ble/ym mhle?:	où
sut?:	comment?
faint/sawl?:	combien de ...?
am faint o'r gloch?:	à quelle heure ...?

pwy?:	qui?
pa ...?:	quel(le) ...?

beth?:	qu'est-ce que ...?
a yw ...?:	est-ce que ...?

Quand est-ce que tu rentres à la maison?

= Pryd wyt ti'n dod yn ôl adref?

Qui a cassé la fenêtre?

= Pwy dorrodd y ffenestr?

1) Defnyddio 'Est-ce que' i ddechrau cwestiynau

Er mwyn troi gosodiad yn gwestiwn, rhowch 'Est-ce que' ar ddechrau'r frawddeg.
Os yw'r cwestiwn yn cychwyn â 'Beth ...' defnyddiwch 'Qu'est-ce que'.

Est-ce que tes bananes sont jaunes?

= A yw dy fananas di'n felyn?

Mwy am y terfyniad hwn ar dudalen 72.

Qu'est-ce que tu manges le soir?

= Beth wyt ti'n ei fwyta gyda'r nos?

2) Gofyn cwestiwn drwy roi'r ferf yn gyntaf

Yn y Saesneg rydych yn newid 'I can go' yn 'Can I go?' i'w droi yn gwestiwn (gan gyfnewid lle'r goddrych a'r ferf) – gallwch wneud yr un peth yn Ffrangeg hefyd.

Est-elle déjà partie?

= Ydi hi wedi mynd yn barod?

Peux-tu m'aider?

= Elli di fy helpu?

3) Gofyn cwestiwn drwy newid goslef eich llais

Mae'r drydedd ffordd o ofyn cwestiwn yn hawdd – dywedwch frawddeg normal ond codwch eich llais ar y diwedd i ddangos mai cwestiwn ydyw.

Tu as des frères ou des soeurs?

= Oes gen ti frodyr neu chwiorydd?

(Yn llythrennol: Mae gen ti frodyr neu chwiorydd?)

Mae'r dudalen hon yn llawn o eiriau cwestiwn – dechreuwch drwy ddysgu pob un ohonynt. Caewch y llyfr ac ysgrifennwch yr holl eiriau cwestiwn sydd ar dop y dudalen. Ewch yn ôl i weld pa rai rydych chi wedi eu hanghofio a rhowch gynnig arall arni nes byddwch yn eu cael i gyd. Yna, y cwbl sydd angen i chi ei gofio yw'r tair prif ffordd o ofyn cwestiwn.

Mynegi barn

Mae'n talu cael barn. Dysgwch sut i ddweud beth yw eich barn ar bethau.

Dywedwch beth ydych chi'n ei feddwl – bydd yn rhoi argraff dda i arholwr

Yn aml gofynnir i chi fynegi barn ar wahanol bethau. Felly dechreuwch ddysgu'r ymadroddion defnyddiol hyn.

Hoffi pethau
Rydw i'n hoffi/caru ... : J'aime
Rydw i'n hoffi ... : .... me plaît
Rydw i'n ymddiddori mewn ...: Je m'intéresse à ...
Rydw i'n meddwl bod .... yn wych: Je trouve ... chouette
Rydw i'n hoffi .... yn fawr iawn: J'aime bien ...

J'aime le tennis de table, mais le football ne me plaît pas.

= Rydw i'n hoffi tennis bwrdd, ond dydw i ddim yn hoffi pêl-droed.

Byddwch yn ofalus – Gall 'J'aime Pierre' olygu 'Rydw i'n caru Pierre'. Er mwyn dweud eich bod yn ei hoffi, gallwch ddweud 'Je trouve Pierre sympathique' *(Rydw i'n meddwl fod Pierre yn hoffus).*

Ddim yn hoffi pethau
Dydw i ddim yn hoffi ... : Je n'aime pas ...
Dydw i ddim yn hoffi ... : ... ne me plaît pas
Does gen i ddim diddordeb mewn.... : ... ne m'intéresse pas
Rydw i'n meddwl bod .... yn ofnadwy/ddychrynllyd: Je trouve .... affreux/affreuse

Mae mwy am sut i ddweud beth nad ydych chi'n ei hoffi a phethau nad ydych yn eu gwneud ar dudalen 95.

Ymadroddion defnyddiol eraill
Mae'n iawn: Ça va
Does dim ots/gwahaniaeth gen i/: Ça m'est égal
Mae'n well gen i ... : Je préfère ...

Qu'est-ce que tu penses de ...? Beth wyt ti'n ei feddwl o ...?

Mae pob un o'r ymadroddion 'clyfar' hyn yn golygu'r un peth – 'Beth wyt ti'n ei feddwl o ...?' Byddwch yn barod amdanynt. Os gallwch ddefnyddio pob un ohonynt bydd eich Ffrangeg yn wirioneddol dda – a golyga hynny fwy o farciau.

Darganfod beth yw barn rhywun

Beth wyt ti'n ei feddwl o ...?:	Qu'est-ce que tu penses de ...?
Beth yw dy farn di am ...?:	Quel est ton avis sur ...?
Beth wyt ti'n ei feddwl?:	Qu'est-ce que tu penses?
Wyt ti'n meddwl ei fod o/e neu hi'n annwyl?:	Est-ce que tu le/la trouves sympa?

Qu'est-ce que tu penses de mon ami?

= Beth wyt ti'n ei feddwl o fy nghariad i?

Je pense qu'il est fou.

= Dwi'n meddwl ei fod o'n wallgof.

Rydw i'n meddwl fod ...
Rydw i'n meddwl fod...: Je pense que ...
Rydw i'n meddwl fod ...: Je crois que ...
Rydw i'n meddwl fod ... yn ... : Je trouve ... ...

Mae gwybod sut i fynegi barn yn bwysig. Er ei bod yn anodd credu hynny, mae'r arholwyr eisiau i chi ddweud beth ydych chi'n ei feddwl o wahanol bethau. Gofalwch eich bod yn dysgu un ffordd o ddweud 'Rydw i'n hoffi' a 'Dydw i ddim yn hoffi' yn gyntaf. Rhain yw'r pethau sydd yn rhaid eu gwybod. Yna dysgwch yr ymadroddion eraill.

Mynegi barn

Nid yw'n ddigon dweud eich bod yn hoffi neu'n casáu rhywbeth – synnwch yr Arholwyr drwy egluro pam.

Defnyddiwch y geiriau hyn i ddisgrifio pethau

Dyma gasgliad mawr o eiriau i ddisgrifio pethau rydych chi'n eu hoffi neu ddim yn eu hoffi.
Maen nhw'n ddigon hawdd i'w defnyddio, felly mae'n werth eu dysgu.

da:	bien/ bon(ne)	*ardderchog:*	excellent(e)	*dymunol/annwyl:*	gentil(le)
gwych:	super/ chouette	*ffantastig:*	formidable/ fantastique	*rhagorol:*	merveilleux/ merveilleuse
hardd:	beau/belle	*bendigedig:*	sensass	*drwg:*	mauvais(e)
cyfeillgar:	amical(e)	*diddorol:*	intéressant(e)	*ofnadwy/dychrynllyd:*	affreux/affreuse
		hoffus/dymunol (person):	sympa/sympathique		

Bob est super. = Mae Bob yn wych.

Les filles sont affreuses. = Mae'r merched yn ddychrynllyd.

Er mwyn dweud 'oherwydd' dywedwch 'parce que'

Er mwyn gwneud eich barn yn fwy credadwy, rhowch reswm am hynny. Y ffordd orau o wneud hyn yw drwy ddefnyddio'r ymadrodd defnyddiol 'parce que' – 'oherwydd'.

Mae 'parce que' yn dra phwysig – peidiwch byth â'i anghofio!

J'aime bien ce film, parce que les acteurs sont formidables.

= Rydw i'n hoffi'r ffilm hon yn fawr oherwydd mae'r actorion yn ffantastig.

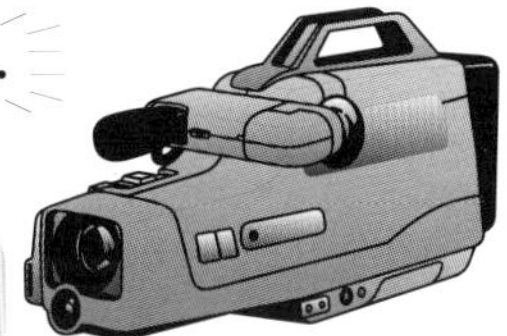

Je trouve ce film affreux, parce que l'histoire est ennuyeuse.

= Rydw i'n meddwl bod y ffilm hon yn ddychrynllyd oherwydd mae'r stori'n ddiflas.

Os byddwch yn clywed y gair 'car' – mae hyn yn golygu 'oherwydd'

Mae'n ddefnyddiol gwybod bod 'car' fel 'parce que' yn golygu 'oherwydd' (neu 'gan').
Does a wnelo'r gair ddim byd â cheir!

Er bod disgwyl i chi allu adnabod 'car', ni fydd raid i chi ei ddefnyddio – gallwch ddefnyddio parce que yn ei le.

Elle est très fatiguée, car elle travaille tout le temps.

= Mae hi'n flinedig iawn, oherwydd ei bod hi'n gweithio drwy'r amser.

Nid yw gwybod sut i ofyn barn rhywun arall neu sut i ddweud 'Rydw i'n meddwl' yn werth dim os na allwch roi rheswm dros hynny. Mae'r holl ymadroddion hyn yn hawdd – gosodwch nhw gyda'i gilydd i greu brawddeg. Gofalwch nad ydych yn dweud rhywbeth disynnwyr fel 'Mae'n gas gen i .. oherwydd mae'n wych'.

Crynodeb adolygu

Gwaith sylfaenol sydd yn yr adran hon. Mae angen i chi wybod y cwbl yn drylwyr cyn mynd i'r Arholiad. Gall yr holl ddarnau am fynegi barn, ac amser (yn cynnwys heddiw, yfory, bob wythnos, ar ddydd Llun, ac ati) wneud gwahaniaeth mawr i'ch marciau. Y ffordd orau i wirio eich bod yn gwybod popeth yw mynd dros yr holl gwestiynau hyn. Os ydych yn cael trafferth neu'n gwneud camgymeriad ewch yn ôl i adolygu'r adran drosodd a throsodd nes byddwch yn cael popeth yn iawn bob tro.

1) Cyfrifwch yn uchel o 1 hyd at 20 yn Ffrangeg.

2) Sut ydych chi'n dweud y rhifau hyn yn Ffrangeg? a) 22 b) 35 c) 58 ch) 71 d) 112 dd) 2101

3) Beth yw'r rhain yn Ffrangeg? a)1af b) 4ydd c) 7fed ch) 19eg d) 25ain dd) 52ain

4) Beth yw ystyr y geiriau hyn? a) chaque b) quelques

5) Gofynnwch 'Faint o'r gloch yw hi?' yn Ffrangeg.
Edrychwch ar eich oriawr a dywedwch faint o'r gloch yw hi yn uchel – yn Ffrangeg.

6) Sut fyddech chi'n dweud yr amseroedd hyn yn Ffrangeg? a) 5.00 b) 10.30 c) 13.22 ch) 16.45

7) Dywedwch ddyddiau'r wythnos yn Ffrangeg, o ddydd Llun hyd at ddydd Sul.

8) Sut fyddech chi'n dweud y rhain yn Ffrangeg? a) ddoe b) heddiw c) yfory

9) Dywedwch holl fisoedd y flwyddyn, o fis Ionawr hyd at fis Rhagfyr.

10) Sut ydych chi'n dweud dyddiad eich pen-blwydd yn Ffrangeg?

11) Mae 'Qu'est-ce que tu fais ce soir?' yn golygu 'Beth wyt ti'n ei wneud heno?'
Sut fyddech chi'n dweud 'Beth wyt ti'n ei wneud a) y prynhawn 'ma?' b) heno?' c) yr wythnos nesaf?'

12) Mae 'Je fais rarement du sport' yn golygu 'Anaml y byddaf i yn gwneud chwaraeon'.
Sut fyddech chi'n dweud: a) 'Rydw i'n gwneud chwaraeon bob dydd.'
b) 'Rydw i'n gwneud chwaraeon yn aml.' c) 'Rydw i'n gwneud chwaraeon weithiau.'

13) Sut fyddech chi'n dweud: a) 'Buaswn i'n hoffi cael coffi.' b) 'Gaf fi'r coffi?'
c) 'Mae'n ddrwg gen i.' (rhowch ddwy ffordd).

14) Sut ydych chi'n dweud y canlynol yn Ffrangeg? a) Os gwelwch yn dda b) Diolch c) Sut mae?

15) Mae 'Tu chantes' yn golygu 'Rwyt ti'n canu'. Beth yw ystyr y cwestiynau hyn?
a) Pourquoi est-ce que tu chantes? b) Où est-ce que tu chantes? c) Qu'est-ce que tu chantes?
ch) Chantes-tu bien? d) Quand est-ce que tu chantes? dd) Est-ce que tu chantes?

16) Sut fyddech chi'n gofyn i rywun beth maen nhw'n ei feddwl o Elvis Presley? (Yn Ffrangeg.)
Rhowch gymaint o ffyrdd o ofyn hyn ag y gallwch.

17) Sut fyddech chi'n dweud y pethau hyn yn Ffrangeg? Rhowch o leiaf un ffordd o ddweud pob un ohonynt.
a) Rydw i'n hoffi Elvis Presley. b) Dydw i ddim yn hoffi Elvis Presley.
c) Rydw i'n meddwl bod Elvis Presley yn ddiddorol. ch) Rydw i'n caru Elvis Presley.
d) Rydw i'n meddwl bod Elvis Presley yn ddychrynllyd. dd) Rydw i'n meddwl bod Elvis Presley yn ffantastig.

18) Er mwyn ennill gwobr fawr yr wythnos, cwblhewch y frawddeg hon gan ddefnyddio 10 gair neu lai (yn Ffrangeg): 'Rydw i yn hoffi Elvis Presley oherwydd ...'

19) Er mwyn ennill dwsin o wyau drwg drewllyd, cwblhewch y frawddeg hon gan ddefnyddio 10 gair neu lai (yn Ffrangeg): 'Dydw i ddim yn hoffi Elvis Presley oherwydd ...'

Llwyddo yn yr arholiad

Mae'r tudalennau hyn yn dweud wrthych chi sut i godi eich marc heb ddysgu mwy o Ffrangeg – felly daliwch ati i ddarllen ...

Darllenwch y cwestiynau'n ofalus

Peidiwch â cholli marciau hawdd y dylai pawb lwyddo i'w cael – gofalwch eich bod yn gwneud y canlynol:

1) Darllenwch yr holl gyfarwyddiadau yn iawn.
2) Darllenwch y cwestiwn yn iawn.
3) Atebwch y cwestiwn – peidiwch â malu awyr am rywbeth sy'n gwbl amherthnasol.
4) Ysgrifennwch mewn paragraffau a defnyddiwch Gymraeg cywir yn y Profion Darllen a Gwrando.
5) Cymerwch amser i gynllunio eich ateb yn y Papur Ysgrifennu – peidiwch â rhuthro'n ddifeddwl.

Mae geirfa a gramadeg yn rhoi argraff dda

Gorau po fwyaf o ramadeg cywir a geirfa allwch chi eu cynnwys. Disgrifiwch bethau — peidiwch â bodloni ar ffeithiau moel (gweler tudalen 80). Ond cofiwch fod brawddeg syml gywir yn well na rhywbeth cymhleth disynnwyr.

Nid oes raid i'ch gramadeg chi fod yn berffaith – peidiwch â dychryn os ydych yn dweud rhywbeth ac yn sylweddoli wedyn nad oedd yn hollol gywir. Ond y ffordd o gael y marciau gorau yw drwy wybod eich gramadeg – gweler adran 11.

Mae arholwyr yn hoffi teithio drwy amser

Mae dweud pryd y gwnaethoch chi rywbeth yn ffordd o gael marciau bonws mawr. Dysgwch yr adran ar amser a dyddiadau yn ofalus (tudalennau 2-3), a dywedwch pryd neu ba mor aml rydych chi'n gwneud pethau.

ddwy awr wedyn ...

Bydd siarad am yr hyn rydych chi wedi ei wneud yn y gorffennol neu'r hyn y byddwch chi'n ei wneud yn y dyfodol yn creu argraff fawr ar yr arholwr (gweler amserau ar dudalen 87).

Mae arholwyr yn hoffi clywed beth yw eich barn chi

Mae arholwyr wrth eu boddau'n clywed beth yw eich barn ar bethau – felly dysgwch y gwaith yn y llyfr hwn ynglŷn â mynegi barn (yn arbennig tudalennau 6-7) yn drylwyr.

Peidiwch â phoeni os bydd raid i chi ffugio barn – yr hyn sy'n bwysig yw bod gennych rywbeth diddorol i'w ddweud ar y pwnc, ac eich bod yn ymddangos fel pe baech yn mwynhau siarad amdano.

Gorau yn y byd po fwyaf o eirfa a gramadeg fydd ar flaenau eich bysedd – a bydd defnyddio'r gwaith ar amser a barn yn rhoi cychwyn da i chi. Peidiwch â meddwl 'Does 'na ddim Ffrangeg ar y dudalen yma – wna i ddim trafferthu ei darllen'. Os nad ydych yn gwybod cynnwys y dudalen hon byddwch yn colli marciau a dyna ddiwedd arni.

Sut mae defnyddio geiriadur

Felly, os oes gennych chi eiriadur does dim rhaid i chi ddysgu dim byd. ANGHYWIR. Os na fyddwch yn dysgu pethau i ddechrau byddwch chi'n treulio'ch holl amser yn chwilio amdanynt, ac wedyn yn defnyddio'r geiriau anghywir. Mae'n rhaid i chi fod yn hynod o ofalus – bydd y ddwy dudalen hyn yn eich helpu i beidio â gwneud traed moch o bethau.

Peidiwch â defnyddio geiriadur ond PAN FYDD RAID I CHI

1) Gofalwch beidio â threulio oriau â'ch trwyn mewn geiriadur – wnewch chi ddim dysgu geiriau os byddwch yn chwilio amdanynt bob tro.
2) Yn gyntaf, ceisiwch ateb cwestiynau heb ddefnyddio geiriadur – yna ewch yn ôl a defnyddiwch eiriadur os oes raid i chi.

Gofalwch eich bod yn gwybod sut i wirio pa un ai gwrywaidd ynteu benywaidd yw gair yn eich geiriadur.

Fodd bynnag gall y TABLAU BERFAU yn y cefn fod yn hynod o ddefnyddiol – defnyddiwch y rhain os bydd arnoch angen gwirio'r rhangymeriadau gorffennol (gweler tudalennau 91-2).

Defnyddiwch Ffrangeg sy'n gyfarwydd i chi

PEIDIWCH â cheisio defnyddio geiriadur i ddweud pethau mawr cymhleth – defnyddiwch eich ymennydd a glynwch at yr hyn rydych chi'n ei wybod.

EDRYCHWCH AR Y CWESTIWN HWN:

Qu'est-ce que tu as reçu comme cadeaux pour Noël?

(Pa anrhegion Nadolig gefaist ti?)

PEIDIWCH â rhuthro i'r geiriadur i chwilio am yr anrheg ryfedd ac egsotig a gawsoch mewn gwirionedd.

Cymerwch arnoch eich bod wedi cael rhywbeth hawdd y GWYDDOCH beth ydyw yn Ffrangeg – fel pêl-droed, er enghraifft.

Peidiwch â chyfieithu gair am air – NID YW HYN yn gweithio

Os trowch bob gair yn y frawddeg hon i'r Gymraeg, bydd yn lol diystyr.

Comment allez-vous? ✗ *Sut mynd chi?*

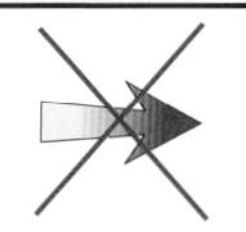

Gwell gen i chwarae pêl rwyd

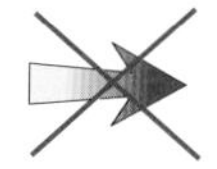

Mieux avoir moi jouer ballon filet.

Mae'r un peth yn wir y ffordd arall – os ydych yn troi Cymraeg i'r Ffrangeg fesul gair bydd yn sothach – peidiwch â gwneud da chi!

'Ond mae pawb yn gwybod sut i ddefnyddio geiriadur!' – anghywir. Mae llawer o bobl yn gwastraffu amser wrth geisio deall sut i ddefnyddio geiriaduron. Arbedwch amser a dysgwch unwaith ac am byth!

Sut mae defnyddio geiriadur

Dysgwch y ffaith hollbwysig hon: os nad yw rhywbeth yn gwneud synnwyr mae'n sicr o fod yn anghywir.

Gall darganfod y gair Ffrangeg cywir fod yn hynod o ANODD

Nid yw geiriadur o ddefnydd o gwbl os na wyddoch rywbeth i ddechrau. Gallai gair Cymraeg olygu nifer o wahanol bethau a gellir cael llawer o wahanol gyfieithiadau – mae'n rhaid i chi gael rhyw syniad o'r hyn sy'n gywir cyn dechrau chwilio.

Os nad yw'n gwneud synnwyr, rydych chi wedi gwneud camgymeriad

Mae gan rai geiriau amryw o ystyron – rhaid i chi beidio â dewis yr ystyr gyntaf rydych chi'n ei gweld yn y geiriadur. Edrychwch ar yr ystyron sy'n cael eu rhestru a phenderfynwch am ba un yr ydych chi'n chwilio.

Os darllenwch hyn ... *Il prend le pain de la main droite.*

... efallai y byddwch yn chwilio am 'droite' yn y geiriadur ac yn darganfod hyn:

droit, e

ans syth: unionsyth; gonest; de, llaw dde// adf yn syth //g hawl; toll, treth; tâl; le droit; y gyfraith// droite b llinell syth; avoir le droit de: bod â'r hawl ('allowed' e.e.i ddefnyddio llwybr troed); avoir droit à: bod â hawl i ('entitled'e.e. i wythnos o wyliau o'r gwaith)

Felly gallai'r frawddeg olygu:

Mae o'n cymryd y bara gyda'r llaw syth. ✗

Mae o'n cymryd y bara gyda'r llaw dde. ✓

Mae o'n cymryd bara'r llaw dde. ✗

Mae hon yn wahanol i'r ddwy frawddeg gyntaf: gall 'de la' olygu 'yn perthyn i' yn ogystal â 'gyda'r'.

Hon yw'r unig frawddeg sy'n gwneud synnwyr.

Mae'n syml mewn gwirionedd: **Os nad yw'n gwneud synnwyr – rydych chi wedi dewis y gair anghywir.**

Mae berfau yn newid yn ôl y person

Pan fyddwch yn chwilio am ferf yn y geiriadur, byddwch yn darganfod y berfenw (e.e. y ffurf 'rhedeg', 'canu', ac ati). Ond efallai y bydd angen i chi ddweud 'rydw i'n rhedeg' neu 'rydym ni'n canu' – felly mae angen i chi newid terfyniad y ferf.

Dyweder eich bod eisiau dweud 'Rydw i'n gweithio'.

1) Os ydych chi'n chwilio am 'gweithio', byddwch yn darganfod y gair 'travailler', sy'n golygu 'gweithio'.
2) Ond y berfenw yw 'travailler' – ni allwch ddweud 'je travailler'.
3) Mae arnoch angen ffurf 'je' y ferf – 'je travaille'.
4) Gwiriwch yr amser hefyd – y ffurf yn y gorffennol yw 'j'ai travaillé'.

Mae'r adran ar ramadeg yn dangos i chi sut i gael y ffurf 'je' o'r berfenw a sut i gael yr amserau yn gywir.

Os ydych yn chwilio am air Ffrangeg, chwiliwch am y berfenw (bydd yn diweddu gydag 'er', 'ir' neu 're'). Os ydych chi eisiau gwybod beth yw ystyr 'nous nettoyons' gallwch ddarganfod 'nettoyer' (glanhau) yn y geiriadur. Felly mae'n rhaid bod 'nous nettoyons' yn golygu 'rydym ni'n glanhau' neu 'glanhawn'.

Ceir gwybodaeth am y berfau a'u holl wahanol derfyniadau ar dudalennau 87-99 yn yr adran ar ramadeg.

Rhaid i chi fod yn gwbl sicr eich bod wedi darganfod y gair cywir – os yw'r geiriadur yn cynnig mwy nag un ateb, defnyddiwch eich synnwyr cyffredin i benderfynu beth sy'n gywir. Peidiwch â dewis gair heb feddwl yn gyntaf.

Y tywydd

Yn yr Arholiad Siarad, maen nhw'n debygol o'ch holi am y tywydd. Neu efallai y bydd disgwyl i chi wrando ar ragolygon tywydd yn eich Arholiad Gwrando. Ond peidiwch â chynhyrfu – os dysgwch y gwaith hwn byddwch yn iawn.

Quel temps fait-il? Sut dywydd yw hi?

Y brawddegau byrion hyn yw'r rhai y mae'n wirioneddol raid i chi eu gwybod – ac maen nhw'n hawdd.

Il pleut. = Mae hi'n glawio.

Mae hi'n bwrw eira: Il neige.
Mae hi'n taranu: Il tonne.
Mae hi'n melltio: Il y a des éclairs (gwr.)
Mae hi'n gymylog: Il y a des nuages (gwr.)

Wrth gwrs, nid yw hi'n glawio bob amser, felly dyma rai enghreifftiau eraill y gallech eu defnyddio:

Il fait froid. = Mae hi'n oer.

cynnes: chaud
heulog: du soleil
poeth: très chaud
niwlog: du brouillard
braf: beau
gwael: mauvais

Gallwch ddefnyddio unrhyw un o'r geiriau hyn ar ôl 'Il fait ...'.

il y a du vent = Mae hi'n wyntog.

Quel temps fera-t-il demain? — Sut dywydd fydd hi yfory?

Mae hyn yn eithaf hawdd, ac mae'n swnio'n hynod o dda.

Il neigera demain. = Bydd hi'n bwrw eira yfory.

Bydd hi'n bwrw eira: Il neigera
Bydd hi'n bwrw glaw: Il pleuvra
Bydd hi'n taranu: Il tonnera
Bydd hi'n gynnes: Il fera chaud
Bydd hi'n oer: Il fera froid
Bydd hi'n wyntog: Il y aura du vent
Bydd hi'n gymylog: Il y aura des nuages

yr wythnos nesaf: la semaine prochaine
ddydd Mawrth: mardi

Bydd hi'n wlyb yfory

Mwy am amseroedd a dyddiadau ar dudalennau 2-3 a mwy am y dyfodol ar dudalen 90

Dim ond deall rhagolygon tywydd yn fras fydd angen i chi ei wneud

Felly, dyma ragolygon tywydd go iawn – cyfle i chi ddangos eich doniau. Ni fyddwch yn gwybod pob gair, ond ni fydd angen i chi. Edrychwch ar y geiriau yr ydych yn eu gwybod a dyfalwch yr ystyr.

Gweithiwch drwy'r canlynol a cheisiwch ddarganfod beth yw ystyr pob rhan. Bydd unrhyw eiriau nad ydych yn eu gwybod yn y geiriadur yng nghefn y llyfr.

heddiw: aujourd'hui
yn y de: dans le sud
yn y gogledd: dans le nord

La météo d'aujourd'hui
Aujourd'hui il fera chaud en France. Demain il y aura du vent dans le sud et des nuages dans le nord. Il va pleuvoir sur la côte.

Rhagolygon y tywydd heddiw
Heddiw bydd hi'n gynnes yn Ffrainc. Yfory bydd hi'n wyntog yn y de ac yn gymylog yn y gogledd. Bydd hi'n glawio ar yr arfordir.

Pethau anodd

Bydd angen i chi drafod tywydd a rhagolygon bron bob amser yn yr Arholiadau – felly mae'n rhaid i chi ddysgu'r gwaith hwn. Unwaith eto, yr unig beth sydd angen i chi ei wneud yw dysgu'r prif frawddegau ar y dudalen hon a'r eirfa – a byddwch yn gweithio yn Swyddfa'r Tywydd mewn dim o dro. Neu efallai mai'r unig wobr fydd ennill marc da yn eich arholiad TGAU!

Gwledydd

Mae angen i chi wybod am wledydd a chenhedloedd pan fyddwch yn eich disgrifio eich hun yn yr Arholiadau Siarad neu Ysgrifennu, neu wrth geisio deall disgrifiadau o bobl yn y papurau Darllen a Gwrando.

D'où viens-tu? – O ble 'rwyt ti'n dod?

Dysgwch yr ymadrodd hwn ar eich cof. Os nad yw eich gwlad chi yma, chwiliwch amdani ar weddill y dudalen, neu mewn geiriadur, neu cymerwch arnoch eich bod yn dod o un o'r lleoedd hyn.

Je viens du pays de Galles . Je suis gallois (e) .

= Rydw i'n dod o Gymru.
Rydw i'n Gymro/Gymraes.

Cymru: du pays de Galles
Gogledd Iwerddon: d'Irlande du Nord
Lloegr: d'Angleterre
Yr Alban: d'Ecosse

Cymro/Cymraes: gallois(e)
Gwyddel/Gwyddeles (o Ogledd Iwerddon): irlandais(e) du nord
Sais/Saesnes: anglais(e)
Albanwr(es): écossais(e)

MANYLYN PWYSIG:
Mae'n rhaid ychwanegu 'e' ar ddiwedd y gair ar gyfer merched (gweler tudalen 78).

Je suis galloise.

Où habites-tu? = Ble'r wyt ti'n byw?

neu Où est-ce que tu habites?

J'habite au pays de Galles . = Rydw i'n byw yng Nghymru.

Defnyddiwch 'en' gyda gwledydd benywaidd ac 'au' gyda rhai gwrywaidd.

Dysgwch y gwledydd tramor hyn

Mae angen i chi ddeall o ble daw pobl eraill o'r hyn maen nhw'n ei ddweud wrthych. Dim ond un ffordd sydd o wneud hyn – sef dysgu'r holl waith isod.

Ffrainc: la France — *Ffrancwr/Ffrances:* français(e)
Yr Almaen: l'Allemagne (ben.) — *Almaenwr/Almaenes:* allemand(e)
Yr Eidal: l'Italie (ben.) — *Eidalwr/Eidales:* italien(ne
Sbaen: l'Espagne (ben.) — *Sbaenwr/Sbaenes:* espagnol(e)
Awstria: l'Autriche (ben.) — *Awstriad:* autrichien(ne)
Yr Iseldiroedd: les Pays-Bas (gwr.) — *Iseldirwr/Iseldirwraig:* hollandais(e)
America: l'Amérique (ben.) — *Americanwr/Americanes:* américain(e)
UDA: les Etats-Unis (gwr.) (dim acen ar y briflythyren)

PWYSIG: Peidiwch â defnyddio prif lythyren yn y geiriau anglais, français, ac ati.

Er mwyn ennill marciau ychwanegol, dysgwch y gwledydd hyn hefyd:

Gwlad Belg: la Belgique
Denmarc: le Danemark
Norwy: la Norvège
Y Swistir: la Suisse
Prydain Fawr: la Grande-Bretagne
Sweden: la Suède
Rwsia: la Russie
Ewrop: l'Europe (ben.)
Affrica: l'Afrique (ben.)

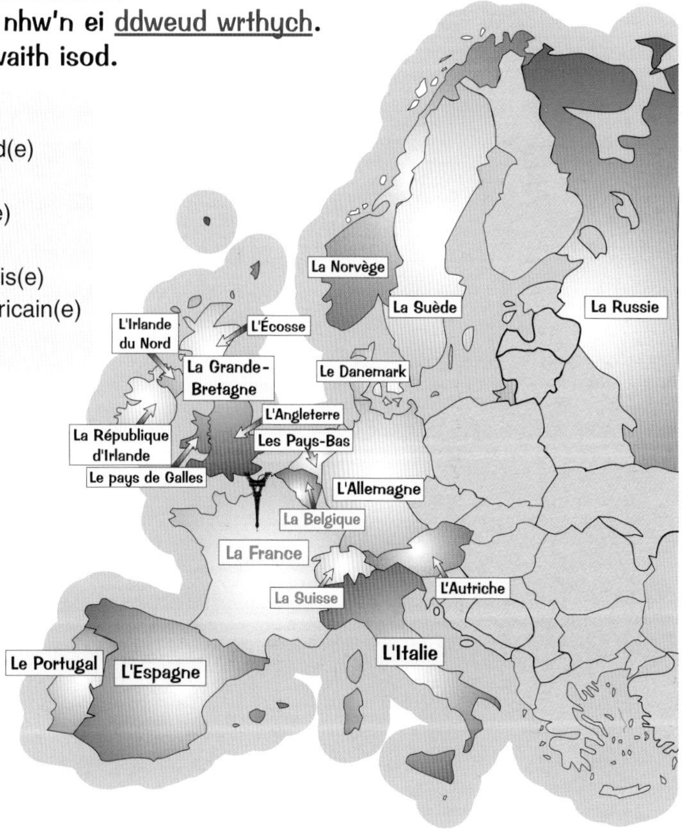

Nid yw'r gwledydd a'r cenhedloedd hyn yn anodd, felly dysgwch nhw. Pan fydd y gair Ffrangeg yn weddol debyg i'r Gymraeg neu'r Saesneg cofiwch wirio bod y sillafiad yn gywir – er enghraifft Denmarc a Danemark. Peidiwch ag anghofio y bydd yn rhaid i chi ddweud o ble rydych chi'n dod, a deall pan fydd pobl eraill yn dweud o ble maen nhw'n dod.

Geirfa gwestai a hostelau

Mae gwyliau yn un arall o'r ffefrynnau yn yr Arholiad. Ar y dudalen hon mae'r holl eiriau sydd angen i chi eu gwybod am westai, hostelau a gwersylla. Mae'n hynod o ddefnyddiol, felly byddai'n well i chi fynd ati i'w dysgu ...

Les vacances – Gwyliau

Mae'n rhaid i chi allu gofyn am y math cywir o ystafell yn y math cywir o westy – dysgwch!

Geirfa gyffredinol.

gwyliau: les vacances
dramor: à l'étranger
person: la personne
noson: la nuit

Berfau a ddefnyddir mewn gwestai.

cadw/bwcio/archebu: réserver
aros: rester
costio: coûter
gadael: partir

Pethau y gallech fod eisiau gofyn amdanynt.

ystafell: la chambre
ystafell ddwbl: la chambre double
ystafell sengl: la chambre individuelle

Pa fath o lety
(mwy am brydau bwyd ar dudalennau 50-52).

llety a phob pryd bwyd: la pension
gwely, brecwast a chinio nos: la demi-pension

gwesty: l'hôtel (gwr.)

gwesty bychan: l'auberge (ben.)

maes gwersylla: le camping

hostel ieuenctid: l'auberge (ben.) de jeunesse

Mwy o eirfa gwyliau i'w dysgu

Wrth gwrs, wedyn mae angen i chi allu gofyn cwestiynau am eich ystafell, ble mae pethau ... a thalu'r bil.

Rhannau o westy.

tŷ bwyta: le restaurant
ystafell fwyta: la salle à manger
lifft: l'ascenseur (gwr.)
grisiau: l'escalier (gwr.)
maes parcio: le parking
lolfa: le salon

Pethau sy'n gysylltiedig â'ch ystafell.

allwedd/goriad: la clé, la clef
balconi: le balcon
bath: le bain
cawod: la douche
basn ymolchi: le lavabo

Talu am eich arhosiad.

bil: la note
pris: le prix

Geiriau ychwanegol sy'n gysylltiedig â gwersylla.

pabell: la tente
sach gysgu: le sac de couchage
gwersylla: camper
safle: l'emplacement (gwr.)
dŵr yfed: l'eau (ben.) potable

Os cewch chi unrhyw beth am westai yn yr Arholiad byddwch yn falch ein bod wedi cynnwys y dudalen hon yn y llyfr. Efallai ei bod yn edrych fel llond tudalen arall o eirfa – ond dyma ffordd o ennill marciau lu. Os byddwch yn dysgu popeth byddwch yn mynd drwy'r pwnc hwn dan ganu.

Bwcio ystafell / safle gwersylla

Dysgwch y dudalen hon a byddwch wrth eich bodd – mae gwaith am ystafelloedd yn ymddangos yn aml iawn mewn Arholiadau.

Avez-vous des chambres libres? — A oes gennych chi ystafelloedd gwag?

Byddant yn gofyn i chi ddweud pa fath o ystafell sydd ei hangen arnoch a pha mor hir y byddwch chi'n aros.

Je voudrais une chambre pour une personne . = Hoffwn i gael ystafell sengl.

ystafell ddwbl: pour deux personnes

Gallech fod ychydig yn fwy manwl a defnyddio'r canlynol:

ystafell gyda bath: chambre avec bain
ystafell gyda balconi: chambre avec balcon

Os ydych chi eisiau siarad am archebu gwahanol bethau, defnyddiwch yr eirfa rydych chi newydd ei dysgu ar dudalen 14.

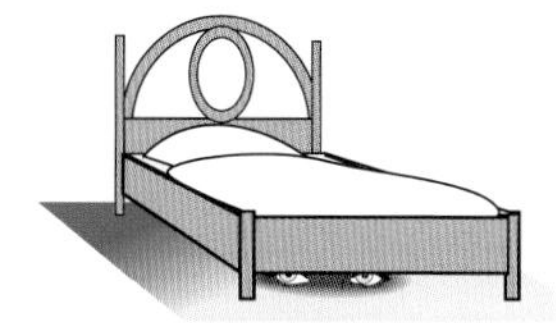

Je voudrais rester ici deux nuits . = Hoffwn i aros yma am ddwy noson.

Rhowch nifer y nosweithiau sydd arnoch eu hangen yma. Mwy o rifau ar dudalen 1.

MANYLYN PWYSIG:
Os ydych yn aros am un noson, defnyddiwch une nuit.

C'est combien par nuit pour une personne ? = Faint mae'n gostio'r noson i un (person)?

Os oes mwy nag un person, defnyddiwch deux personnes, trois personnes, ac ati.

Je la prends. = Fe wnaf ei chymryd.

Je ne la prends pas. = Wnaf i ddim ei chymryd.

Est-ce qu'on peut camper ici? – A allaf i wersylla yma?

Hyd yn oed os nad ydych yn hoffi'r awyr agored dylech ymgyfarwyddo â'r eirfa gwersylla ar gyfer yr arholiadau.

Je voudrais un emplacement pour une nuit . = Fe hoffwn i safle am un noson.

Nodwch am faint rydych eisiau aros yma.

safle (lle i osod pabell): l'emplacement (gwr.)

pabell: la tente

Efallai y bydd arnoch angen yr ymadroddion hyn hefyd:

A oes dŵr yfed yma?: Est-ce qu'il y a de l'eau potable ici?
A allaf i gynnau tân yma?: Est-ce que je peux allumer un feu ici?
Ble gallaf i ddarganfod ...?: Où est-ce que je peux trouver ... ?

carafán: la caravane

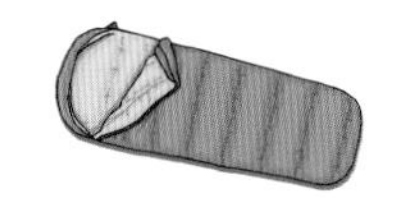

sach cysgu: le sac de couchage

Efallai y bydd angen i chi archebu ymlaen llaw. Mwy o wybodaeth ar sut i ysgrifennu llythyr ffurfiol ar dudalen 67.

Hyd yn oed os nad ewch chi fyth ar eich gwyliau i Ffrainc, dysgwch y dudalen hon. Gofalwch eich bod yn gwybod yr holl frawddegau enghreifftiol, a'r geiriau ychwanegol y gallwch eu gosod ym mhob un ohonynt. Dyma'r unig ffordd o lwyddo!

Ble / Pryd mae ...

Yn yr Arholiad, nid dim ond gofyn am ystafell fyddwch chi'n gorfod ei wneud – gallent ofyn i chi wneud llawer mwy na hynny. Dyma sut i holi pobl ym mhle mae pethau a sut i ddod o hyd i fwyd. Pethau pwysig iawn.

Gofyn ble mae pethau – defnyddiwch 'Où est ...?'

Mae gwybod sut i ofyn ble mae pethau yn bwysig iawn – dysgwch y rhain.

Où est la salle à manger, s'il vous plaît? = Ble mae'r ystafell fwyta os gwelwch yn dda?

maes parcio: le parking
ystafell chwaraeon: la salle de jeux
ffôn: le téléphone

Mae mwy o bethau y gallech holi ble maen nhw ar dudalen 14

Ble mae'r toiledau?: Où sont les toilettes?

C'est un "stick-up."
Où est le money?

Defnyddiwch 'elle' wrth gyfeirio at eiriau 'la', 'elles' ac 'ils' ar gyfer geiriau lluosog ac 'il' ar gyfer geiriau 'le'.

Defnyddiwch 'au' yma oherwydd mae 'étage' yn wrywaidd.
Defnyddiwch 'à la' gyda geiriau benywaidd.

Elle est au troisième étage. = Mae hi ar y trydydd llawr.

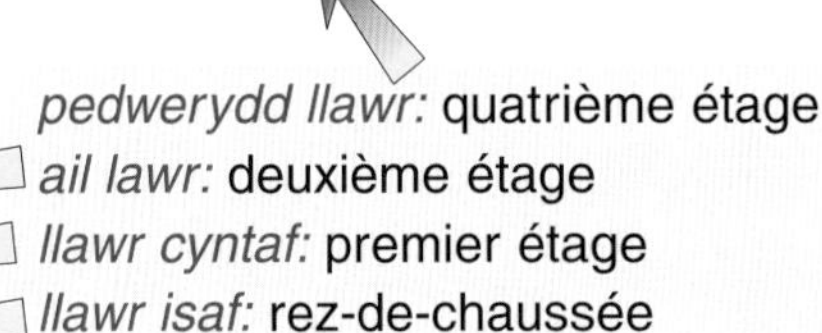

pedwerydd llawr: quatrième étage
ail lawr: deuxième étage
llawr cyntaf: premier étage
llawr isaf: rez-de-chaussée

Rhifau lloriau uwch ar dudalen 1

Dyma eiriau eraill y gallech fod eu hangen wrth ddisgrifio lle mae rhywbeth.

y tu allan: à l'extérieur
ar y chwith/dde: à gauche/ à droite
syth ymlaen: tout droit
i fyny'r grisiau: en haut
i lawr y grisiau: en bas
ym mhen draw'r coridor: au bout du couloir

Quand est ...? – Pryd mae ...?

Ac yna ar ôl i chi ddarganfod ym mhle mae popeth, bydd angen i chi wybod pryd y bydd pethau'n digwydd ...

Quand est-ce que le petit déjeuner est servi, s'il vous plaît? = Pryd mae brecwast yn cael ei weini os gwelwch yn dda?

cinio: le déjeuner
pryd min nos: le dîner

Mae mwy o amseroedd ar dudalen 2

Il est servi à huit heures. = Mae'n cael ei weini am wyth o'r gloch.

Y ffordd orau o wirio eich bod yn gwybod y gwaith hwn yw drwy guddio'r dudalen a cheisio ysgrifennu'r geiriau ar bapur. Os na allwch wneud hyn, nid ydych wedi dysgu'r gwaith, felly daliwch ati nes byddwch yn llwyddo. Mae'r geiriau am llawr 1af, 2il lawr, ac ati yn ddefnyddiol ar gyfer unrhyw adeiladau uchel, fel siopau ... – felly mae'n werth eu dysgu.

Gofyn am wybodaeth

Yn yr Arholiad Siarad, efallai y byddant eisiau i chi ddychmygu eich bod mewn canolfan groeso a'ch bod yn gofyn am daflenni am wibdeithiau. Neu efallai y bydd rhaid i chi ysgrifennu llythyr i ganolfan groeso yn yr Arholiad Ysgrifennu.

Le syndicat d'initiative – y ganolfan groeso

Dyma sut y mae darganfod beth sydd gan dref i'w gynnig. Dwy frawddeg yn unig sydd angen eu dysgu – felly dysgwch nhw.

Pouvez-vous me donner des informations sur le zoo, s'il vous plaît?

atyniadau Paris: les attractions de Paris
yr amgueddfa: le musée

= Allwch chi roi gwybodaeth i mi am y sw, os gwelwch yn dda?

canolfan groeso: le syndicat d'initiative, l'office (gwr.) de tourisme.

Gwelwch dudalennau 21 a 36 i gael mwy o bethau y gallech holi amdanynt

Le musée ouvre à quelle heure?

= Pryd mae'r amgueddfa'n agor?

yr arddangosfa: l'exposition (ben.)
yr oriel: la galerie

cau: ferme

Mae mwy am ofyn cyfarwyddiadau ar dudalen 22.

Holi ynglŷn â gwibdeithiau – byddwch yn swnio'n glyfar iawn

Dysgwch y gwaith hwn a byddwch yn ennill marciau bonws sylweddol yn yr Arholiad.

Avez-vous des brochures sur les excursions autour de Lyon ?

= A oes gennych chi daflenni yn ymwneud â gwibdeithiau yn ardal Lyon?

yr amgueddfeydd yn Metz: les musées de Metz

Rhowch enw'r lle yma.

Quelle sorte d'excursion voudriez-vous faire?

= Pa fath o wibdaith fuasech chi'n ei hoffi?

Je voudrais visiter Versailles .

= Hoffwn ymweld â Versailles.

mynd i amgueddfa: aller à un musée
ymweld â'r palas: visiter le château

Combien ça coûte?

= Faint mae'n gostio?

Ça coûte trente euros par personne.

= Mae'n costio 30 ewro yr un.

Ce car va à Versailles. Le car part de l'hôtel de ville à une heure et demie .

= Mae'r bws yma'n mynd i Versailles. Mae'r bws yn gadael o neuadd y dref am hanner awr wedi un.

o'r eglwys: de l'église (ben.)
o'r farchnad: du marché

y trên: le train

2 o'r gloch: deux heures
3.15: trois heures quinze

Mae Arholwyr yn hoffi gofyn cwestiynau fel 'Dychmygwch eich bod ar wyliau yn Ffrainc' – dyna pryd y mae'r gwaith hwn yn ddefnyddiol.

Siarad am eich gwyliau

Mae pawb yn diflasu pobl eraill drwy ddisgrifio'u gwyliau yn fanwl. Mae'n siŵr eich bod chithau'n euog o hyn hefyd – peidiwch â gwadu! Erbyn i chi orffen y dudalen hon byddwch yn gallu diflasu pobl – a hynny yn Ffrangeg ... a byddwch yn ennill marciau da.

Où es-tu allé(e)? – I ble'r est ti?

Je suis allé(e) aux États-Unis , il y a deux semaines .

= Fe es i UDA bythefnos yn ôl.

Dyma lle'r aethoch chi...

a dyma pryd yr aethoch chi.

Sbaen: en Espagne
Ffrainc: en France
Iwerddon: en Irlande

wythnos yn ôl: il y a une semaine
y mis diwethaf: le mois dernier
ym mis Gorffennaf: en juillet
yn yr haf: en été

Dyddiadau ac amserau eraill: tudalennau 2-3
Pwyntiau'r cwmpawd: tudalen 23
Rhestr fwy o wledydd: tudalen 13.

Avec qui étais-tu en vacances? — Gyda phwy oeddet ti ar dy wyliau?

Byddai'n well i chi ateb y cwestiwn hwn neu bydd pobl yn dechrau siarad!

J'étais en vacances avec ma famille , pendant un mois .

= Fe fûm i ar fy ngwyliau efo fy nheulu am fis.

fy mrawd: mon frère
fy ffrindiau: mes ami(e)s

pythefnos: quinze jours
dwy wythnos: deux semaines

Mae mwy o wybodaeth am yr amserau gorffennol ar dudalennau 91 a 92.

Ffrindiau a theulu – gweler tudalen 55.

Qu'est-ce que tu as fait? – Beth wnest ti?

Bydd angen i chi allu dweud beth wnaethoch chi ar eich gwyliau – dysgwch y gwaith yn drwyadl.

Je suis allé(e) à la plage .

= Fe es i lan y môr

i'r disgo: en discothèque
i'r amgueddfa: au musée

Lleoedd eraill ar dudalen 21.

Chwaraeon a gweithgareddau eraill ar dudalen 36.

Berf atblygol yw hon – mwy am y rhain ar dudalen 94.

Je me suis détendu(e).

= Fe wnes i ymlacio.

Fe wnes i fwynhau fy hun: Je me suis amusé(e)
Fe wnes i chwarae tennis: J'ai joué au tennis.

Comment tu y es allé(e)? – Sut est ti yno?

Cofiwch am y gair bach 'y', sy'n golygu 'yno' – mae'n air defnyddiol (mwy am hwn ar dudalen 85).

Nous y sommes allé(e)s en voiture .

= Aethom yno yn y car.

Mae mwy am ffyrdd o deithio ar dudalennau 24-25.

'Fe es i', 'fe aeth hi', ac ati, gweler tudalen 91-2.

awyren: en avion
cwch: en bateau
beic: en vélo

Mae angen i chi ddeall pobl eraill yn siarad am eu gwyliau a gallu siarad am eich gwyliau chi. Cuddiwch y dudalen, ysgrifennwch y geiriau, ewch yn ôl i wirio, ac ati. Daliwch ati nes byddwch wedi dysgu popeth sydd ar y dudalen.

Siarad mwy am eich gwyliau

Mae Arholwyr yn gwerthfawrogi clywed y manylion. Felly daliwch ati a dysgwch y gwaith hwn hefyd ...

Quel temps faisait-il? – Sut dywydd oedd hi?

Ni fyddai'r un disgrifiad o wyliau yn llawn heb sôn am y tywydd.

Le soleil brillait et il faisait chaud.

= Roedd yr haul yn tywynnu ac roedd hi'n gynnes.

Roedd hi'n glawio: Il pleuvait
Roedd hi'n bwrw eira: Il neigeait

roedd hi'n oer: il faisait froid
roedd hi'n wyntog: il y avait du vent

Mae mwy o ffyrdd o drafod y tywydd ar dudalen 12.

Comment était le voyage? – Sut oedd y daith?

Mae mynegi barn yn ffordd dda o wneud i'r arholwr feddwl eich bod yn ardderchog.

Comment étaient tes vacances? = Sut wyliau gefaist ti?

Je les ai aimées. = Fe wnes i eu mwynhau.

Comme ci comme ça. = Gweddol/go lew

Je ne les ai pas aimées. = Wnes i ddim eu mwynhau.

Où est-ce que tu iras? – I ble fyddi di'n mynd?

Mae'n rhaid i chi allu siarad am y dyfodol – pethau y byddwch yn eu gwneud ...

Mae'r canlynol yn yr amser dyfodol ...

I ble fyddi di'n mynd? Où est-ce que tu iras?	*Byddaf yn mynd i America ymhen pythefnos.* J'irai en Amérique dans deux semaines.
Gyda phwy fyddi di'n mynd ar dy wyliau? Tu iras en vacances avec qui?	*Byddaf yn mynd gyda'm ffrindiau.* J'irai avec mes ami(e)s.

... ac mae'r canlynol yn yr amser 'dyfodol agos' ...

Beth wyt ti'n mynd i'w wneud? Qu'est-ce que tu vas faire?	*Rydw i'n mynd i fynd i lan y môr.* Je vais aller à la plage.
Sut wyt ti'n mynd i fynd yno? Comment est-ce que tu vas y aller?	*Rydw i'n mynd i fynd yno mewn awyren.* Je vais y aller en avion.

Mae mwy o wybodaeth am yr amser dyfodol yn yr adran ramadeg – tudalen 90.

Pethau anodd Pethau anodd Pethau anodd

Bydd rhoi mwy o fanylion yn ffordd o ennill llawer o farciau. Mae hi bob amser yn bosibl disgrifio gwyliau dychmygol cyn belled â'ch bod yn gwybod y geiriau Ffrangeg.

Crynodeb adolygu

Pwrpas y cwestiynau hyn yw sicrhau eich bod yn gwybod eich gwaith. Gweithiwch drwyddynt i gyd a gwiriwch pa rai nad oeddech chi'n gallu eu gwneud. Ewch yn ôl drwy'r adran i chwilio am yr atebion, yna rhowch gynnig arall ar y rhai nad oeddech chi'n gallu eu gwneud. Yna ewch dros y rhai sy'n dal i beri trafferth. Daliwch ati nes byddwch yn gallu gwneud pob un ohonynt – er mwyn i chi wybod eich bod wedi dysgu popeth yn iawn.

1) Mae eich ffrind o Ffrainc, Jean-Claude, eisiau gwybod sut dywydd ydych chi'n ei gael. Dywedwch ei bod yn niwlog ac yn bwrw glaw, ac yn oer.

2) Rydych chi newydd fod yn gwrando ar ragolygon y tywydd. Dywedwch y bydd hi'n boeth yfory ac y bydd yr haul yn tywynnu.

3) Ysgrifennwch enwau'r pedair gwlad sydd ym Mhrydain Fawr a phum gwlad arall, yn Ffrangeg.

4) Sut fyddech chi'n dweud eich bod chi'n dod o bob un o'r gwledydd hyn?

5) Dywedwch pa genedl yw pobl pob un o'r lleoedd hyn – 'Almaenwr/Almaenes', 'Cymro/Cymraes', ac ati – yn Ffrangeg wrth gwrs.

6 Beth yw'r rhain yn Ffrangeg? a) gwesty b) hostel ieuenctid c) maes gwersylla ch) gwesty bychan

7) Sut fyddech chi'n dweud y rhain yn Ffrangeg? a) allwedd b) sach gysgu c) bil ch) grisiau d) pabell

8) Rydych chi'n cyrraedd gwesty yn Ffrainc. Gofynnwch a oes ganddynt ystafelloedd.

9) Dywedwch eich bod chi eisiau un ystafell ddwbl a dwy ystafell sengl. Dywedwch eich bod eisiau aros am bum noson. Dywedwch eich bod yn mynd i gymryd yr ystafelloedd.

10) Sut ydych chi'n gofyn ym mhle mae'r tŷ bwyta, yn Ffrangeg?

11) Mae rhywun yn dweud : 'Tournez à gauche et allez tout droit. C'est au bout du couloir' wrthych chi. Beth yw ystyr hyn?

12) Gofynnwch yn uchel pryd mae brecwast yn cael ei weini – yn Ffrangeg.

13) Rydych yn cyrraedd maes gwersylla. Gofynnwch a oes safleoedd ar gael. Gofynnwch a oes dŵr yfed.

14) Rydych yn cyrraedd Dijon gyda'ch ffrind o Ffrainc, Marie-Thérèse, ac rydych yn mynd i'r ganolfan groeso. Sut ydych chi'n gofyn am wybodaeth am yr atyniadau?

15) Mae gwibdaith yn mynd i amgueddfa yn yr ardal. Gofynnwch am daflen am y wibdaith. Gofynnwch pryd mae'r bws yn gadael o neuadd y dref.

16) Rydych chi newydd fod ar eich gwyliau yn yr Eidal. Aethoch yno am bythefnos gyda'ch chwaer. Aethoch yno ar awyren. Fe wnaethoch ymlacio a mwynhau eich hun. Dywedwch hyn i gyd yn Ffrangeg.

17) Aeth Marie-Noëlle ar ei gwyliau ddau fis yn ôl ac aeth Jean-Michel ar ei wyliau flwyddyn yn ôl. Sut fydden nhw'n dweud hynny wrthych chi yn Ffrangeg?

18) Sut fyddech chi'n gofyn i rywun sut hwyl gawsant ar eu gwyliau? Sut fydden nhw'n ateb pe bydden nhw wedi mwynhau eu gwyliau?

19) Meddyliwch am rywle yr hoffech chi fynd iddo'r flwyddyn nesaf. Dywedwch eich bod am fynd yno a dywedwch sut fyddwch chi'n mynd yno (mewn awyren, car, ac ati).

Enwau adeiladau

Os ydych yn mynd i siarad am eich tref, mae angen i chi wybod enwau adeiladau. Rhaid i chi eu dysgu.

Dysgwch yr holl enwau adeiladau hyn

Dyma'r adeiladau mwyaf cyffredin y dylai pawb eu gwybod. (Adeilad = le bâtiment.)
Peidiwch â mynd ymlaen nes byddwch wedi dysgu pob un.

y banc: la banque

y siop gig: la boucherie

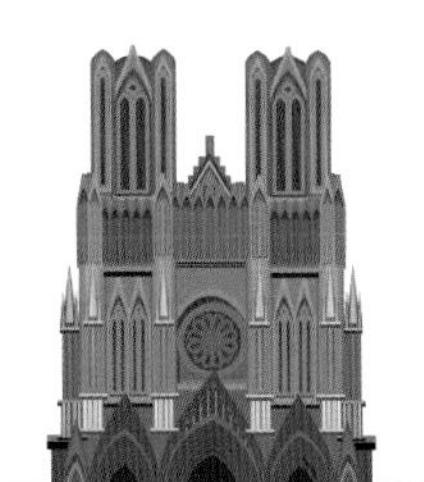

yr eglwys: l'église (ben.)

y theatr: le théâtre

yr orsaf: la gare

y swyddfa bost: la poste

y siop fara: la boulangerie

y sinema: le cinéma

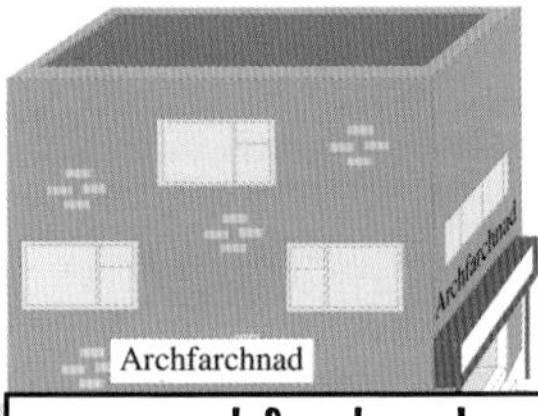

yr archfarchnad: le supermarché [Archfarchnad]

y farchnad: le marché

y castell/palas: le château

y llyfrgell: la bibliothèque

D'autres bâtiments – Adeiladau eraill

Wel, i ddweud y gwir mae llawer iawn o adeiladau y dylech eu gwybod. Dyma'r gweddill:

MWY O SIOPAU

y siop: le magasin
y fferyllfa: la pharmacie
y siop fawr: le grand magasin
y siop deisennau: la pâtisserie
y siop bapur newydd: le tabac
y siop felysion: la confiserie

Mwy o siopau ar dudalen 44.

LLEOEDD PWYSIG ERAILL

neuadd y dref: l'hôtel de ville (gwr.), la mairie
yr eglwys gadeiriol: la cathédrale
y parc: le parc
y maes awyr: l'aéroport (gwr.)
y brifysgol: l'université (ben.)
y pwll nofio: la piscine
y maes chwarae: le terrain de sport
y ganolfan hamdden: le centre de loisirs
y stadiwm: le stade
yr ysgol: le collège, l'école (ben.)
yr ysbyty: l'hôpital (gwr.)

ADEILADAU SY'N GYSYLLTIEDIG Â THWRISTIAID

y gwesty: l'hôtel (gwr.)
yr hostel ieuenctid: l'auberge de jeunesse (ben.)
y tŷ bwyta: le restaurant
y ganolfan groeso: l'office (gwr.) de tourisme
yr amgueddfa: le musée
y sw: le zoo

Mae rhai ohonoch yn meddwl bod dysgu geirfa yn ddiflas – ond cofiwch y bydd arnoch angen y geiriau hyn yn yr Arholiad. Y ffordd orau o'u dysgu yw cuddio'r dudalen a cheisio ysgrifennu pob gair. Yna ewch yn ôl i wirio a rhowch gynnig arall ar y geiriau a gawsoch yn anghywir. Mae'r dull hwn yn sicr o weithio.

Gofyn am gyfarwyddiadau

Rydych chi'n sicr o gael un cwestiwn sy'n ymwneud â gofyn am gyfarwyddiadau. Felly os na fyddwch yn dysgu'r gwaith hwn bydd un cwestiwn na fyddwch yn gallu ei ateb yn yr Arholiad.

Où est ...? Ble mae ...?

Mae'n ddigon hawdd gofyn ym mhle mae rhywle – dywedwch 'Où est ...' a gosodwch y lle ar y diwedd.

Où est la poste, s'il vous plaît? = Ble mae swyddfa'r post, os gwelwch yn dda?

Mwy o adeiladau ar dudalen 21

Est-ce qu'il y a une bibliothèque près d'ici? = A oes llyfrgell yn ymyl?

C'est loin d'ici? – A yw'n bell oddi yma?

Efallai bod y lle'r ydych yn chwilio amdano yn rhy bell i gerdded – efallai y bydd angen i chi gymryd bws neu dram. Dyma sut y mae darganfod pa mor bell yw rhywle cyn dechrau cerdded am 3 awr i gyrraedd y maes awyr!

Est-ce que le cinéma est loin d'ici? = A yw'r sinema yn bell oddi yma?

y swyddfa bost: la poste
y parc: le parc
yr amgueddfa: le musée

C'est à deux kilomètres d'ici. = Mae'n ddau gilomedr oddi yma.

can metr: à cent mètres
agos: près *pell:* loin

Defnyddiwch 'pour aller à ...?' i ofyn y ffordd

Bydd angen i chi ofyn y ffordd yn un o'r sgyrsiau bach chwarae rôl y mae'r arholwyr mor hoff ohonynt.

Pardon Monsieur, pour aller à la banque, s'il vous plaît? = Esgusodwch fi, sut ydw i'n mynd i'r banc?

(wrth wraig): Madame

i'r orsaf: à la gare
i'r llyfrgell: à la bibliothèque
i'r castell: au château

Manylyn pwysig:
Rhowch unrhyw le yma, gan ddefnyddio 'au' ar gyfer geiriau 'le', 'à la' ar gyfer geiriau 'la' ac 'à l'' ar gyfer geiriau sy'n cychwyn â llafariad neu 'h'. Gweler tudalen 71.

Bydd arnoch angen yr eirfa hon i gyd i ddeall y cyfarwyddiadau fyddwch chi'n eu cael.

ewch yn syth ymlaen: allez tout droit
trowch i'r dde: tournez à droite
trowch i'r chwith: tournez à gauche
ar y gornel: au coin
reit yn ymyl (agos iawn): à deux pas d'ici

trowch i'r dde wrth y goleuadau traffig: tournez à droite aux feux
syth ymlaen, heibio'r eglwys: allez tout droit, devant l'église
trowch i'r stryd gyntaf ar y chwith: prenez la première rue à gauche

Mwy ar 1af, 2il, ac ati ar dudalen 1

Pethau anodd Pethau anodd Pethau anodd

Cuddiwch y dudalen, ysgrifennwch a gwiriwch i weld beth ydych chi wedi ei gael yn anghywir ac yna rhowch gynnig arall arni. Dyna'r ffordd o ddysgu'r gwaith hwn. Daliwch ati nes byddwch yn gwybod popeth – yna byddwch yn barod am yr Arholiad. Nid yw darllen y dudalen hon yn unig yn hanner digon – fyddech chi ddim yn gwybod y cynnwys yfory heb sôn am ei chofio yn yr Arholiad.

Beth yw eich barn chi am eich ardal

Byddant yn eich holi am eich ardal.
Os byddwch wedi dysgu hyn byddwch yn gallu ateb. Digon syml.

Où est-ce que tu habites? – Ble wyt ti'n byw?

Ni fyddwch yn llwyddo yn yr Arholiad os na fyddwch chi'n ateb y cwestiwn hwn – felly paratowch eich ateb.

J'habite à Pwllheli . = Rydw i'n byw ym Mhwllheli.

Pwllheli se trouve dans le nord-ouest du pays de Galles. = Mae Pwllheli yng ngogledd-orllewin Cymru.

gogledd: le nord
dwyrain: l'est
de: le sud
gorllewin: l'ouest
de-ddwyrain: le sud-est
yng ngogledd yr Alban: le nord de l'Ecosse

Mwy o wledydd ar dudalen 13

Mae'n rhaid i chi siarad am fywyd yn eich tref chi – 'dans ta ville'

Dyma gwestiwn arall sy'n ymddangos yn aml iawn – cofiwch ymarfer eich atebion cyn yr Arholiad.

Qu'est-ce qu'il y a dans ta ville? = Beth sydd 'na yn dy dref di?

Il y a un marché . = Mae 'na farchnad.

Mwy o adeiladau a lleoedd ar dudalen 21.

Est-ce que tu aimes vivre à Pwllheli? =Wyt ti'n hoffi byw ym Mhwllheli?

J'aime vivre à Pwllheli. = Rydw i'n hoffi byw ym Mhwllheli.

Dydw i ddim yn hoffi: Je n'aime pas

Comment est Pwllheli? – Sut le yw Pwllheli?

Os ydych chi eisiau ennill marc da iawn, gofalwch eich bod yn barod i roi mwy o fanylion.

Dywedwch gelwydd os oes angen, ond gwnewch iddo swnio'n gredadwy.

La ville est très intéressante . = Mae'r dref yn un ddiddorol iawn.

anniddorol/diflas: ennuyeuse
gwych: chouette
budr/brwnt: sale
glân: propre
tawel/distaw: calme

Il y a beaucoup à faire. = Mae 'na lawer i'w wneud.

dim llawer/ychydig: peu
digon: assez
rhywbeth bob amser: toujours quelque chose

Gweler tud. 6–7 am fwy ar farn.

Does 'na ddim byd i'w wneud: Il n'y a rien à faire.

Rhowch bopeth gyda'i gilydd i lunio brawddeg hwy – byddwch yn ennill marciau ychwanegol os bydd y frawddeg yn gywir.

J'aime vivre à Pwllheli, parce qu'il y a toujours quelque chose à faire. = Rydw i'n hoffi byw ym Mhwllheli oherwydd mae 'na rywbeth i'w wneud yno bob amser.

Je n'aime pas vivre à Tresyrffed , parce qu'il n'y a rien à faire. = Dydw i ddim yn hoffi byw yn Nhresyrffed, oherwydd does dim i'w wneud yno.

Os ydych yn dod o rywle hollol anniddorol lle nad oes dim atyniadau o gwbl, gallwch ddefnyddio'ch dychymyg – o fewn rheswm wrth gwrs – ond mae'n eithaf tebyg y bydd hi'n bosibl dweud rhywbeth am dref yn eich ardal. Dechreuwch drwy ddweud ym mhle mae'r dref a cheisiwch weld faint o bethau allwch chi eu dweud amdani heb edrych ar y dudalen.

Teithio ar y trên

Os ydych eisiau ennill y marciau gorau bydd arnoch angen digonedd o eirfa. A bydd yn rhaid i chi wybod ychydig o frawddegau sylfaenol.

Je voudrais prendre le train – Hoffwn i gymryd y trên

Dyma sut i brynu tocyn. Byddai'n beth gwirion peidio â dysgu hyn.

Est-ce qu'il y a un train **pour Paris** ? = A oes trên yn mynd i Baris?

i Nancy: pour Nancy
i Bordeaux: pour Bordeaux

Un **aller simple** pour Paris, en **première classe** . = Un tocyn unffordd dosbarth cyntaf i Baris.

dau: deux
tri: trois

tocyn(nau) sengl/unffordd: aller(s) simple(s)
tocyn(nau) dwyffordd: aller(s) et retour(s)

dosbarth cyntaf: première classe
ail ddosbarth: deuxième classe

Monaco

Un aller et retour pour Paris, s'il vous plaît. = Un tocyn dwyffordd i Baris, os gwelwch yn dda.

Vous voyagez quand? – Pryd ydych chi'n teithio?

Mae'r gwaith hwn yn fwy cymhleth, ond mae'n dal i fod yn hynod o bwysig. Ni fyddwch yn debygol o fynd ymhell (yn Ffrainc nac yn yr Arholiad) os na fyddwch yn gwybod sut i ofyn y math hwn o gwestiwn.

Je voudrais aller à Caen, **samedi** . = Fe hoffwn i deithio i Caen ddydd Sadwrn.

Mae 'Caen' yn cael ei ynganu yn union fel 'quand'.

heddiw: aujourd'hui *ddydd Llun nesaf:* lundi prochain *ar y degfed o Fehefin:* le dix juin

Quand est-ce que le train part pour Caen? = Pryd mae'r trên i Caen yn gadael?

Quand est-ce que le train arrive à Caen? = Pryd mae'r trên yn cyrraedd Caen?

Le train part de quel quai? = O ba blatfform mae'r trên yn gadael?

Mwy o eirfa ... ond cofiwch fod yr eirfa yn hanfodol felly dysgwch gymaint ag y gallwch.

gadael: partir
amser cychwyn: le départ
yr ystafell aros: la salle d'attente
amserlen: l'horaire (gwr.)
rhwydwaith rheilffyrdd Ffrengig: la S.N.C.F.
y rheilffordd: le chemin de fer

cyrraedd: arriver
amser cyrraedd: l'arrivée (ben.)
tocyn: le billet
mynd ar: monter dans
ysmygu: fumeurs
oediad: le retard

newid (trenau): changer
platfform: le quai
cowntor tocynnau: le guichet
dod oddi ar: descendre de
dim ysmygu: non-fumeurs
swyddfa gadael bagiau: la consigne

Rydych chi'n lwcus ... mae Arholwyr yn hoffi gofyn cwestiynau am deithio. Felly byddai'n well i chi ofalu eich bod yn gallu ateb yr holl gwestiynau posibl. Er efallai bod y gwaith hwn yn ymddangos yn ddiflas, pan fyddwch yn yr Arholiad, byddwch yn hynod o falch eich bod wedi trafferthu ei ddysgu. Does dim amheuaeth.

Pob math o gludiant

Dyma'r hyn sydd angen i chi ei wybod am fathau eraill o gludiant. Mae hwn yn un pwnc arall y bydd angen ei wybod yn hynod o dda – a bydd angen gwybod llawer o eirfa ar ei gyfer hefyd.

Comment y vas-tu? – Sut wyt ti'n mynd yno?

Bydd angen i chi ddweud sut yr ydych yn teithio i wahanol leoedd. Er mwyn dweud 'ar y'/ 'mewn' (e.e. mewn car), defnyddiwch 'en' – oni bai eich bod yn cerdded i rywle.

J' y vais à pied. = Rydw i'n cerdded yno.

D'habitude, je vais en ville en bus. = Fel arfer rydw i'n mynd i'r dref ar y bws.

Je vais en train. = Rydw i'n mynd ar y trên.

ar y bws: en bus/en autobus
ar y rheilffordd danddaearol/métro: en métro
ar gefn beic: en vélo
mewn car: en voiture
ar feic modur: en moto
ar fws cyfforddus: en car/en autocar
ar gwch: en bateau
mewn awyren: en avion

Le départ et l'arrivée – Gadael a chyrraedd

Dyma'r mathau o gwestiynau y byddai'n rhaid i chi eu gofyn wrth deithio, ac wrth gwrs ... yn yr Arholiad.

Est-ce qu'il y a un bus pour Toulouse? = A oes bws i Toulouse?

awyren: un avion
bws cyfforddus: un car *cwch:* un bateau

Quand part le prochain bus pour Amiens? = Pryd mae'r bws nesaf i Amiens yn gadael?

y bws (nesaf): le (prochain) car *y cwch (nesaf):* le (prochain) bateau

Quand est-ce que l'avion arrive à Marseille? = Pryd mae'r awyren yn cyrraedd Marseille?

Quel bus ...? – Pa fws ...?

Does dim dwywaith – bydd angen i chi wybod sut i ofyn pa fws neu drên sy'n mynd i ble. Dysgwch hyn.

Quel bus va au centre-ville, s'il vous plaît? = Pa fws sy'n mynd i ganol y dref, os gwelwch yn dda?

Pa drên ... : Quel train ...

i'r arhosfan bysiau: à l'arrêt d'autobus (gwr.)
i'r maes awyr: à l'aéroport (gwr.)
i'r harbwr/porthladd: au port

Bydd y gwaith hwn yn hawdd unwaith y byddwch wedi ei ddysgu. Mae'n waith syml mewn gwirionedd oherwydd nid yw'r geiriau'n newid. 'Rydw i'n mynd ...' yw 'Je vais ..' a dyna ddiwedd arni.

Newid arian ac eiddo coll

Mae'r Arholwyr yn hoff iawn o'r sefyllfa hunllefus o golli rhywbeth yn Ffrainc. Os ydych eisiau cael marciau uchel yn yr Arholiadau, byddai'n well i chi ddechrau dysgu'r ymadroddion hyn.

Le bureau de change – y gyfnewidfa arian

Mae hyn yn ymddangos drwy'r adeg yn y Prawf Siarad – felly dysgwch y gwaith yn drylwyr.

Je voudrais changer de l'argent, s'il vous plaît.

= Buaswn i'n hoffi newid arian os gwelwch chi'n dda.

arian Prydeinig: de l'argent britannique
£50: cinquante livres sterling

Mwy am arian a rhifau ar dudalennau 45 ac 1

Je voudrais encaisser ce chèque de voyage, s'il vous plaît.

y sieciau teithio yma: ces chèques de voyage

= Hoffwn i newid y siec deithio yma am arian os gwelwch yn dda.

Le commissariat – Gorsaf yr heddlu

Sefyllfa arall sy'n debygol o ymddangos yn y Prawf Siarad.

J'ai perdu mon sac. = Rydw i wedi colli fy mag.

Où est-ce que vous avez perdu votre sac? = Ym mhle wnaethoch chi golli eich bag?

J'ai perdu mon sac à la gare. = Fe wnes i golli fy mag yn yr orsaf.

fy mag: mon sac
fy mhasbort: mon passeport
fy mhwrs: mon porte-monnaie
fy arian: mon argent
fy allwedd: ma clef

Mwy o adeiladau/ lleoedd ar dudalen 21.

Quelqu'un m'a volé mon sac. = Mae rhywun wedi dwyn fy mag i.

Mon sac a été volé, il y a une heure. = Cafodd fy mag ei ddwyn awr yn ôl.

Pethau anodd Pethau anodd Pethau anodd

Comment est-il/elle? – Sut un ydy o/hi?

A byddwch angen hyn yn sicr ar ryw adeg yn ystod yr arholiad.

Mon porte-monnaie est petit et noir. = Mae fy mhwrs yn fach ac yn ddu.

glas: bleu(e)
hen: vieux/vieille
mawr: grand(e)
wedi ei wneud o ledr: en cuir

Mwy am liwiau a disgrifiadau ar dudalennau 45 ac 80

Dysgwch sut i gyfnewid arian a newid siec deithio am arian. Dysgwch sut i ddweud eich bod chi wedi colli rhywbeth neu ei fod wedi cael ei ddwyn. Yna dysgwch sut i roi disgrifiad o'ch eiddo coll. Yna gallwch guddio'r dudalen a gwirio eich bod yn gwybod y gwaith. Daliwch ati nes byddwch wedi dysgu popeth.

Crynodeb adolygu

Mae Ffrangeg safon TGAU yn ymwneud yn bennaf â dysgu brawddegau, gallu newid ychydig o eiriau ynddynt, a chysylltu rhai o'r brawddegau hynny. Ond os nad ydych yn gwybod y brawddegau mae gennych broblem. Bydd y cwestiynau hyn yn ffordd o wirio eich bod yn gwybod beth sydd angen i chi ei wybod am yr adran hon. Daliwch ati i ymarfer ateb y cwestiynau nes byddwch yn eu gwybod i gyd.

1) Rydych chi wedi cyrraedd Boulogne ac yn ysgrifennu at eich ffrind llythyru, Marie-Claire, i ddisgrifio'r atyniadau. Sut ydych chi'n dweud fod castell, pwll nofio, prifysgol, sw ac amgueddfa a theatr yno?

2) Ysgrifennwch enwau pump o wahanol siopau a phum adeilad arall y gallech eu darganfod mewn tref (ac eithrio'r rhai uchod).

3) Mae'n rhaid i chi fynd i'r fferyllfa. Sut ydych chi'n gofyn ym mhle a pha mor bell yw'r fferyllfa?

4) Rhowch ystyr y cyfarwyddiadau hyn: 'La pharmacie est à un kilomètre d'ici. Tournez à droite, prenez la première rue à gauche, allez tout droit, devant l'église. La pharmacie est à droite.'

5) Mae twrist o Ffrainc wedi dod i weld y dref lle rydych chi'n byw ac mae'n chwilio am yr hostel ieuenctid. Dywedwch wrtho am fynd yn syth ymlaen, troi i'r chwith ger y goleuadau traffig a dywedwch fod yr hostel ieuenctid ar y dde.

6) Dywedwch wrth eich ffrind llythyru, Jean-Jacques ble'r ydych chi'n byw a dywedwch yn lle yn union mae hyn (ym mha wlad, ac ym mha ran o'r wlad (e.e. gogledd ddwyrain).

7) Dywedwch eich bod yn hoffi byw yn eich tref chi, mae digonedd o bethau i'w gwneud yno ac mae'n eithaf glân. Dywedwch fod canolfan chwaraeon a sinema yno.

8) Nid yw Jean-Marc yn hoffi'r dref oherwydd ei bod yn fawr iawn ac yn fudr/frwnt. Nid yw Marie-Françoise yn hoffi'r wlad oherwydd ei fod yn ddiflas ac yn rhy dawel. Sut fyddai'r ddau yn dweud hyn yn Ffrangeg?

9) Rydych chi mewn gorsaf yn Ffrainc. Sut fyddech chi'n dweud y canlynol yn Ffrangeg?
a) Dywedwch yr hoffech chi deithio i Marseille ar ddydd Sul. b) Gofynnwch a oes trenau.

10) Sut fyddech chi'n dweud y geiriau hyn yn Ffrangeg?
a) y platfform b) yr ystafell aros c) yr amserlen ch) dim ysmygu d) amser gadael

11) Gofynnwch am dri thocyn dwyffordd ail ddosbarth i Tours. Gofynnwch o ba blatfform y mae'r trên yn gadael ac ym mhle mae'r ystafell aros. Gofynnwch a oes raid i chi newid trên.

12) Dywedwch eich bod yn mynd i'r ysgol yn y car, ond bod eich ffrind yn cerdded.

13) Rydych chi wedi colli'r bws sy'n mynd i Bergerac. Gofynnwch pryd mae'r bws nesaf yn gadael ac am faint o'r gloch mae'n cyrraedd Bergerac.

14) Rydych chi wedi mynd ar goll ym Mharis. Gofynnwch pa fws sy'n mynd at y Tŵr Eiffel (la tour Eiffel).

15) Rydych chi wedi cyrraedd Ffrainc heb ewros. Dywedwch wrth y swyddog yn y gyfnewidfa arian eich bod chi eisiau newid 50 punt a newid siec deithio am arian.

16) Rydych chi wedi colli'ch pwrs. Dywedwch hyn wrth yr heddlu a dywedwch eich bod chi wedi ei golli yn y siop fara, awr yn ôl.

17) Maen nhw'n gofyn am ddisgrifiad – dywedwch fod y pwrs yn un coch ac wedi ei wneud o ledr.

Pynciau ysgol

Mae'n amhosibl osgoi trafod ysgol a swyddi er mor ddiflas ydynt. Ond os dysgwch chi'r gwaith hwn yn drylwyr ar gyfer yr Arholiadau byddwch yn teimlo'n hapusach o'r hanner!

Tu fais quelles matières? — Pa bynciau ysgol wyt ti'n eu gwneud?

Ewch dros bob grŵp o bynciau nes byddwch yn gallu ysgrifennu pob un ohonynt heb edrych.

Ieithoedd
Ffrangeg: le français
Almaeneg: l'allemand (gwr.)
Sbaeneg: l'espagnol (gwr.)
Eidaleg: l'italien (gwr.)
Saesneg: l'anglais (gwr.)

Pynciau gwyddonol
gwyddoniaeth: les sciences (ben.)
ffiseg: la physique
cemeg: la chimie
bioleg: la biologie

Addysg gorfforol
addysg gorffforol: l'éducation physique (ben.)/le sport

Pynciau sy'n gysylltiedig â rhifau, ac ati
mathemateg: les mathématiques, les màths (ben.)
TG: l'informatique (ben.)

Celf a Chrefft
celfyddyd: le dessin
cerddoriaeth: la musique

Dyniaethau
hanes: l'histoire (ben.)
daearyddiaeth: la géographie
athroniaeth: la philosophie
addysg grefyddol: l'éducation religieuse (ben.)

Je fais du français .

= Rydw i'n gwneud/astudio Ffrangeg.

Mwy am 'de', 'du', ac ati ar dudalen 78

Quelle est ta matière préférée? — Beth yw dy hoff bwnc di?

Er nad ydych yn rhy hoff o bynciau ysgol mae'n hanfodol eich bod yn gwybod y gwaith hwn.

Quelle est ta matière préférée? = Beth yw dy hoff bwnc di?

J'aime les maths. = Rydw i'n hoffi mathemateg.

Ceir mwy am sut i ddweud eich bod chi'n hoffi/ddim yn hoffi pethau ar dudalennau 6-7

Je préfère la biologie. = Mae'n well gen i fioleg.

Ma matière préférée est le français. = Ffrangeg yw fy hoff bwnc i.

Je déteste le sport. = Mae'n gas gen i addysg gorfforol.

Daliwch ati i ymarfer y gwaith hwn nes byddwch wedi dysgu popeth ar eich cof. Gofalwch eich bod yn gallu dweud yr holl bynciau yr ydych chi'n eu hastudio, ac o leiaf yn deall y rhai eraill pan fyddwch yn eu clywed.

Trefn ddyddiol yr ysgol

Mae'n werth gwneud ymdrech i ddysgu'r gwaith hwn er mwyn ateb y cwestiynau anodd gewch chi ar drefn yr ysgol. Defnyddiwch frawddegau byrion – byddant yn haws i'w cofio.

Comment vas-tu au collège? — Sut wyt ti'n mynd i'r ysgol?

Cofiwch ymarfer dweud y frawddeg fyddwch chi'n ei defnyddio yn yr Arholiad Siarad. Peidiwch â bodloni ar hynny fodd bynnag – gallai unrhyw un o'r amrywiadau eraill ymddangos yn yr Arholiadau Darllen neu Ysgrifennu, felly dysgwch bob un ohonynt.

Je vais au collège en voiture. = Rydw i'n mynd i'r ysgol mewn car.

car: en voiture
bus: en bus
beic: en vélo

Defnyddiwch 'au collège' i ddweud 'i'r ysgol'. Defnyddiwch 'en' o flaen y math o gludiant, ond 'à' gyda 'pied' (cerdded).

Je vais au collège à pied. = Rydw i'n cerdded i'r ysgol.

Un cours – gwers

Ysgrifennwch yr holl frawddegau hyn a rhowch yr amseroedd a'r rhifau cywir sy'n cyfateb i'ch ysgol chi. Y cwbl sydd raid i chi ei wneud wedyn yw dysgu, dysgu a dysgu mwy nes y byddwch yn gallu dweud popeth fel robot.

Les cours commencent à neuf heures. = Mae'r gwersi yn cychwyn am 9.00.

Les cours finissent à quinze heures quinze. = Mae'r gwersi yn gorffen am 3.15.

Nous avons huit cours par jour. = Mae gennym ni 8 gwers y dydd.

La récréation est à onze heures. = Mae'r egwyl am 11.00.

egwyl/amser chwarae: la récréation
amser cinio: la pause de midi

Mwy am amserau ar dudalen 2 – 'Cyffredinol'

Chaque cours dure quarante minutes. = Mae pob gwers yn para deugain munud.

Nous faisons une heure de devoirs par jour. = Rydym yn gwneud awr o waith cartref bob dydd.

Peidiwch ag anghofio'r brawddegau sy'n disgrifio eich bywyd cyffrous yn yr ysgol, a'r ymadroddion sy'n disgrifio sut rydych chi'n mynd i'r ysgol. Cofiwch am yr ymadrodd defnyddiol 'par jour' – gallwch ddefnyddio hwn mewn llawer o frawddegau.

Rheolau a gweithgareddau'r ysgol

Mae hwn yn Ffrangeg sylfaenol ac mae'n ffordd ardderchog o ymarfer ar gyfer yr Arholiad Siarad. Mae'r Arholwyr wedi gwirioni â'r eirfa sy'n ymwneud â'r ysgol – felly byddai'n well i chi ei dysgu.

Siaradwch am eich gweithgareddau allgyrsiol

Dyma gyfle i ddisgrifio'ch hobïau rhyfedd a diddorol – neu gymryd arnoch eich bod yn gwneud rhywbeth sy'n hawdd ei ddweud.

Qu'est-ce que tu fais pendant ton temps libre? = Beth wyt ti'n ei wneud yn ystod dy amser rhydd?

Je fais du sport. = Rydw i'n gwneud chwaraeon.

chwarae mewn grŵp: joue dans un groupe
casglu stampiau: collectionne les timbres

Mwy am hobïau ar dudalen 36 –'Amser hamdden a hobïau'

Depuis quand ...? – Ers pryd /ers faint o amser ...?

Gallai hwn fod yn eich Arholiad – felly dysgwch ef.

Depuis quand apprends-tu le français? = Ers pryd wyt ti wedi bod yn dysgu Ffrangeg?

Gofalwch eich bod yn defnyddio'r amser presennol yma – nid ydych yn dweud 'wedi bod' fel yn y Gymraeg. Gweler tudalen 88.

Mwy am rifau ar dudalen 1 – 'Cyffredinol'

J'apprends le français depuis trois ans. = Rydw i wedi bod yn dysgu Ffrangeg ers tair blynedd.

L'horaire – yr amserlen

Mae'r gwaith hwn ychydig yn fwy cymhleth, ond os ydych chi eisiau marc da, mae'n rhaid i chi ei ddysgu.

amserlen: l'horaire (gwr.)

Il y a trois trimestres. = Mae 'na dri thymor.

Nous avons six semaines de vacances en été. = Mae gennym chwe wythnos o wyliau yn yr haf.

wyth wythnos: huit semaines
pum niwrnod: cinq jours

adeg y Nadolig: à Noël
adeg y Pasg: à Pâques

Rydw i'n cytuno – mae'r amserlen hon yn ddychrynllyd

Mwy am liwiau ar dudalen 45 a mwy am ddillad ar dudalen 47

Les règles sont strictes. = Mae'r rheolau'n llym.

Nous portons un uniforme à l'école. = Rydym ni'n gwisgo gwisg ysgol yn yr ysgol.

Notre uniforme est un pull rouge, un pantalon gris, une chemise blanche et une cravate verte. = Ein gwisg ysgol yw: siwmper goch, trowsus llwyd, crys gwyn a thei gwyrdd.

Mae rhifau yn hanfodol ar gyfer yr adran hon. Caewch y llyfr a cheisiwch weld faint o'r gwaith allwch chi ei gofio. Gorau yn y byd po fwyaf o wybodaeth allwch chi roi am eich ysgol. Yn rhyfedd iawn bydd unrhyw Ffrancwyr y byddwch yn eu cyfarfod wrth eu bodd yn clywed am eich gwisg ysgol gan nad yw hyn yn arferiad yn Ffrainc.

Iaith yr ystafell ddosbarth

Mae'n beth defnyddiol iawn gallu gofyn i rywun ailadrodd rhywbeth neu sillafu gair anghyfarwydd.
Mae'r gwaith ar dop y dudalen yn ddefnyddiol hefyd.

Asseyez-vous! – Eisteddwch!

Dysgwch y tri ymadrodd byr hyn:

Levez-vous! = Codwch!

Asseyez-vous! = Eisteddwch!

Taisez-vous! = Byddwch yn ddistaw!

Parlez-vous français? – Ydych chi'n siarad Ffrangeg?

Mae pob un ohonom yn gwneud camgymeriadau ac yn camddeall pethau weithiau, ond os gallwch ofyn am help efallai y byddwch yn dysgu peidio â gwneud yr un camgymeriad ddwywaith. Felly gall y gwaith hwn eich helpu i ddeall pethau'n well.

Est-ce que tu comprends? = Wyt ti'n deall?

Je (ne) comprends (pas). = Rydw i'n deall/Dydw i ddim yn deall.

Comment est-ce qu'on prononce ça? = Sut ydych chi'n ynganu hyn'na?

Comment ça s'écrit? = Sut ydych chi'n sillafu hyn'na?

Comment est-ce qu'on dit ça en français? = Sut ydych chi'n dweud hyn'na yn Ffrangeg?

Os nad ydych yn deall dywedwch 'Je ne comprends pas'

Gall yr ymadroddion hyn fod yn hanfodol ar gyfer eich Arholiad Siarad. Hyd yn oed os yw pethau'n mynd i'r pen mae'n llawer gwell dweud 'Dydw i ddim yn deall' yn Ffrangeg na dweud hynny yn y Gymraeg.

Qu'est-ce que ça veut dire? = Beth yw ystyr hynny?

Pouvez-vous expliquer ce mot? = Allwch chi egluro'r gair hwn? (ffurfiol)

Elli di? (anffurfiol): Peux-tu?

Pouvez-vous répéter, s'il vous plaît? = Allwch chi ailadrodd hyn'na, os gwelwch yn dda?

C'est faux? = Ydi hyn'na yn anghywir?

C'est faux. = Mae hyn'na yn anghywir.

Je ne sais pas. = Dydw i ddim yn gwybod.

C'est ça. = Dyna ni.

Gallwch osgoi cyfnod o ddistawrwydd annifyr ac ennill marciau drwy ofyn i'r Arholwr ailadrodd rhywbeth. Y cwbl sydd angen i chi ei wneud yw dysgu'r holl ymadroddion defnyddiol hyn. Mae'n werth cofio fod pawb yn anghofio pethau weithiau.

Mathau o swyddi

Mae llawer iawn o swyddi ar y dudalen hon – ac mae angen i chi allu adnabod pob un ohonynt oherwydd gallai unrhyw un ymddangos yn yr Arholiadau Gwrando a Darllen. Mae'r swyddi yr ydych chi a'ch teulu yn eu gwneud yn bwysicach fyth oherwydd byddwch yn sicr o orfod eu defnyddio yn eich Arholiad Siarad.

Cofiwch am y ffurfiau benywaidd

Byddwch angen yr ymadroddion hyn wrth siarad ac ysgrifennu am waith rhan amser neu wrth sôn am fywyd myfyriwr.

myfyriwr/myfyrwraig: l'étudiant(e)
gweithiwr(wraig) rhan amser: employé(e) à mi-temps

Gwrywaidd/Benywaidd

Gofalwch roi'r fersiwn cywir ar gyfer y benywaidd – mae'r terfyniad '-er' yn dod yn '-ère', mae '-teur' yn dod yn '-trice' a gallai '-eur' ddod yn '-euse' neu gallai aros yr un fath. Sicrhewch eich bod yn dysgu ym mha eiriau y mae 'e' yn cael ei hychwanegu yn y fersiwn benywaidd ac ym mha eiriau nad yw hyn yn digwydd.

Mae cenedl swydd yn dibynnu ar bwy sydd yn gwneud y swydd honno

Bydd angen i chi allu dweud ac ysgrifennu unrhyw un o'r swyddi yr ydych chi a'ch teulu yn eu gwneud – ac adnabod y gweddill pan fyddwch yn eu gweld neu'n eu clywed.

Mae cenedl y swydd bob amser yn wrywaidd ar gyfer dyn ac yn fenywaidd ar gyfer merch – ac eithrio 'le médecin', 'l'ingénieur' a 'l'agent immobilier', sy'n wrywaidd ar gyfer y ddau.

cyfrifydd: le/la comptable
ysgrifennydd/ysgrifenyddes: le/la secrétaire
peiriannydd: l'ingénieur (gwr.)

actor/actores: l'acteur, l'actrice
cerddor(es): le musicien, la musicienne

mecanydd: le mécanicien, la mécanicienne
trydanwr: l'électricien, l'électricienne
plymwr: le plombier, la plombière
pen-cogydd(es): le/la chef de cuisine
pobydd(es): le boulanger, la boulangère
cigydd(es): le boucher, la bouchère

gwerthwr/gwerthwraig: le vendeur, la vendeuse
newyddiadurwr/newyddiadurwraig: le/la journaliste
athro/athrawes: le/la prof(esseur)
dyn/merch trin gwallt: le coiffeur, la coiffeuse
plismon/plismones: le/la gendarme
postmon/postmones: le facteur, la factrice
asiant gwerthu: l'agent (gwr.) immobilier

deintydd(es): le/la dentiste
fferyllydd: le pharmacien, la pharmacienne
nyrs: l'infirmier, l'infirmière
meddyg: le médecin

Tipyn o waith dysgu! Ond dechreuwch gyda'r swyddi hawsaf – yna dysgwch y gweddill. Cofiwch mai'r swyddi y mae aelodau eich teulu chi'n eu gwneud sydd bwysicaf – ond dylech ddeall y gweddill hefyd. Rhaid dysgu fersiynau benywaidd pob swydd hefyd – yn enwedig y rhai rhyfedd.

Eich swydd chi a swyddi eich rhieni

Os oes gan eich mam swydd anodd iawn ei disgrifio dywedwch ei bod yn athrawes neu rywbeth syml felly – a bydd pethau'n llawer haws yn yr Arholiadau.

Mon père – fy nhad, Ma mère – fy mam

Dewiswch swyddi sy'n hawdd eu dweud – o dudalen 32 – i'w rhoi yn y brawddegau hyn ar gyfer holl aelodau eich teulu – yna dysgwch nhw.

Mwy am deuluoedd ar dudalen 55. Mwy am rifau ar dudalen 1.

Mon père est vendeur. = Mae fy nhad yn werthwr.

Cofiwch: peidiwch â rhoi 'un' neu 'une' cyn y swydd. Rhowch 'est' ac yna'r swydd

Fy mrawd: Mon frère
Fy chwaer: Ma soeur

pen-cogydd: chef de cuisine
meddyg: médecin

pum niwrnod: cinq jours

Ma mère travaille trente-cinq heures par semaine. = Mae fy mam yn gweithio 35 awr yr wythnos.

J'ai un emploi à mi-temps – Mae gen i waith rhan amser

Gwnewch y rhain yn haws drwy ddewis swyddi sy'n hawdd eu cofio a chadw pethau'n syml.

J'ai un travail à mi-temps. = Mae gen i swydd ran amser.

£3.50 yr awr: trois livres cinquante par heure
£15 yr wythnos: quinze livres par semaine

Je gagne cinq livres par heure. = Rydw i'n ennill £5 yr awr.

Je suis boucher/bouchère. Rydw i'n gigydd/gigyddes.

Ceir digonedd o swyddi y gallwch eu gosod yn y bocs gwyn hwn ar dudalen 32.

Dywedwch pa swydd yr hoffech chi ei gwneud a pham

Dywedwch wrth yr Arholwyr pa swydd hoffech chi ei gwneud – a rhowch reswm syml pam – digon hawdd.

Je voudrais devenir médecin, ... = Hoffwn i fod yn feddyg, ...

Defnyddiwch 'devenir' (bod yn) wrth ddweud pa swydd fyddech chi'n hoffi ei gwneud.

Ceir mwy o eiriau y gallwch eu defnyddio i ddweud beth ydych yn ei feddwl o rywbeth ar dudalennau 6-7.

... parce que le travail serait intéressant. = ... oherwydd byddai'r swydd yn un ddiddorol.

anodd: difficile *hwyl:* amusant *hawdd:* facile

Mae'n werth gwybod y gwaith hwn. Mae'n hanfodol eich bod yn gwybod sut i ddweud beth ydych chi a'ch rhieni yn ei wneud. Os yw'r gwir yn rhy anodd i'w gyfleu dywedwch rywbeth symlach, ond gofalwch fod hyn yn gredadwy, a glynwch at yr un peth bob tro y byddwch yn ymarfer. Cofiwch fod rhoi rhesymau yn ffordd allweddol o ennill marciau da!

Cynlluniau ar gyfer y dyfodol

Cynlluniwch yr hyn yr ydych yn bwriadu ei wneud ar ôl gadael yr ysgol – a'i ddysgu ar eich cof. Mae'n rhaid i chi fod yn barod i ateb cwestiwn fel hwn yn yr Arholiadau.

Qu'est-ce que tu voudrais faire après le collège?

– Beth fyddet ti'n hoffi ei wneud ar ôl gadael yr ysgol?

Gallai'r gwaith hwn ymddangos yn ddigon hawdd yn yr Arholiad – felly byddai'n wirion peidio â'i ddysgu.

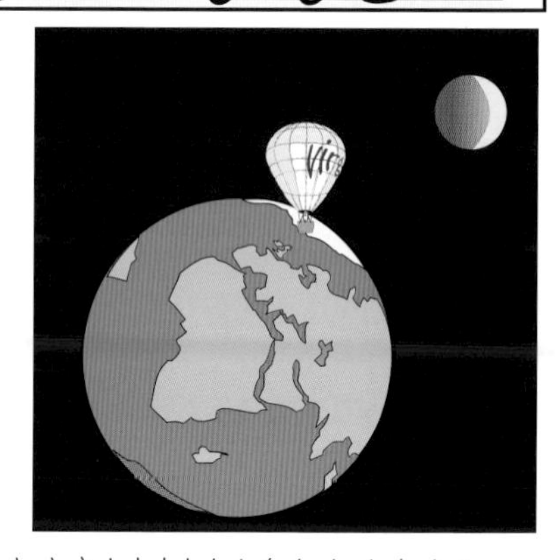

Je voudrais préparer le bac. = Buaswn i'n hoffi gwneud Lefel A.

'Bac' yw ffurf gryno 'Baccalauréat', sef yr hyn sy'n cyfateb i bynciau lefel A yn Ffrainc, ond yn Ffrainc maen nhw'n astudio mwy o bynciau na ni.

Je voudrais prendre une année sabbatique. = Hoffwn i gymryd blwyddyn i ffwrdd.

Je voudrais étudier la géographie. = Hoffwn i astudio daearyddiaeth.

Je voudrais aller à l'université. = Hoffwn i fynd i'r brifysgol.

Os ydych chi eisiau gwneud swydd arbennig ar ôl gadael yr ysgol, defnyddiwch y brawddegau ar dudalen 33.

Defnyddiwch resymau cryno a phendant fel atebion

Meddyliwch am eglurhad ar gyfer yr ateb rydych chi wedi ei roi uchod. Gofalwch fod pob eglurhad yn fyr, yn glir ac yn syml. Er enghraifft, 'Rydw i eisiau cymryd blwyddyn o seibiant er mwyn gallu teithio'. Ateb taclus a chryno.

Je voudrais étudier la musique, parce que je veux devenir musicien(ne) plus tard. = Hoffwn i astudio cerddoriaeth, oherwydd rydw i eisiau bod yn gerddor(gerddores) wedyn.

mathemateg: les màths
TG: l'informatique (ben.)

cyfrifydd: comptable
athro/athrawes: prof(esseur)

Pynciau ysgol – gweler tudalen 28.

Je voudrais préparer le bac, parce que je veux étudier la biologie. = Fe hoffwn i wneud Lefel A, oherwydd rydw i eisiau astudio bioleg.

Pethau anodd Pethau anodd

Mae gwaith fel hwn yn ymddangos dro ar ôl tro yn yr Arholiad. Mewn gwirionedd rydych yn gwybod beth fydd yn eich arholiad – felly does gennych chi ddim esgus o gwbl. Dysgwch bopeth – a byddwch yn iawn! Defnyddiwch eiriau fel 'parce que' i gael marciau ychwanegol.

Crynodeb adolygu

Mae'n wirioneddol raid i chi wybod y gwaith hwn. Ewch drwy'r cwestiynau hyn – os gallwch ateb pob un heb edrych ar y llyfr, llongyfarchiadau! Os na allwch ateb rhai ohonynt, ewch yn ôl i fynd dros y gwaith eto. Daliwch ati nes byddwch yn gallu gwneud pob un heb anhawster. Efallai y bydd hyn yn cymryd amser, ond cofiwch nad oes disgwyl i chi allu dysgu popeth mewn un diwrnod.

1) Dywedwch beth yw eich pynciau TGAU yn Ffrangeg (neu gymaint ohonynt ag y gallwch). Cofiwch y bydd 'le français' yn un ohonynt!

2) Beth yw eich hoff bwnc? Pa bwnc/bynciau nad ydych yn eu hoffi? Atebwch yn Ffrangeg.

3) Mae Marie-Nicole yn seiclo i'r ysgol, ond mae Jean-Paul yn mynd yn y car. Sut fyddai'r ddau yn dweud sut y maen nhw'n mynd i'r ysgol?

4) Sut fyddech chi'n dweud bod eich egwyl amser cinio yn dechrau am 12:45 y prynhawn a bod gennych un awr?

5) Sut fyddech chi'n dweud bod gennych chi chwe gwers y dydd, bod pob gwers yn para 50 munud a bod yn rhaid i chi wneud gwaith cartref?

6) Mae Alwyn yn disgrifio'i ysgol i'w ffrind llythyru o Ffrainc, Jean-Claude. Sut byddai'n dweud bod yna dri thymor, ei fod yn gwisgo gwisg ysgol a bod y rheolau yn rhai llym iawn?

7) Sut ydych chi'n dweud eich bod chi wedi bod yn dysgu Ffrangeg am bum mlynedd ac Almaeneg am bedair blynedd?

8) Mae eich athro/athrawes newydd ddweud brawddeg hir yn Ffrangeg a dydych chi ddim yn deall. Sut ydych chi'n gofyn iddo/iddi ailadrodd y frawddeg?

9) Dydych chi ddim wedi deall. Beth allech chi ei ddweud nawr?
Sut ydych chi'n gofyn iddo/iddi sillafu'r gair sy'n peri trafferth i chi?

10) Sut ydych chi'n dweud y swyddi hyn yn Ffrangeg? (Rhowch y fersiynau gwrywaidd a benywaidd os ydynt yn wahanol.) a) peiriannydd b) actor c) plismon ch) dyn trin gwallt d) cyfrifydd dd) meddyg

11) Dywedwch beth yw swyddi eich rhieni.

12) Mae gennych swydd ran amser fel gwerthwr(wraig) mewn siop.
Rydych yn gweithio tair awr ar ddydd Sadwrn ac rydych chi'n ennill £4.50 yr awr.
Ysgrifennwch sut y byddech chi'n dweud hyn wrth eich ffrind llythyru o Ffrainc, Jean-Michel.

13) Mae Marie-Thérèse eisiau astudio ffiseg. Sut byddai hi'n dweud ei bod hi eisiau gwneud baccalauréat er mwyn gallu mynd i'r brifysgol? Sut byddai hi'n dweud mai ei hoff bynciau yw mathemateg, ffiseg a chemeg?

14) Mae Jean-Jacques eisiau cymryd blwyddyn i ffwrdd ar ôl gadael yr ysgol ac astudio wedyn.
Sut byddai'n dweud hyn?

15) Yn Ffrangeg, ysgrifennwch bedair swydd yr hoffech chi eu gwneud yn y dyfodol a phedair na fyddech chi fyth eisiau eu gwneud. Dywedwch pa swydd ydych chi'n ei hoffi orau a pha swydd ydych chi'n ei hoffi leiaf. Rhowch resymau dros y ddau ddewis.

Chwaraeon a hobïau

Nid yw'r Arholwyr yn credu mewn bod yn segur – ac o'r herwydd mae digon o gwestiynau yn yr Arholiadau am chwaraeon a hobïau.

Est-ce que tu fais du sport? – Wyt ti'n gwneud unrhyw fath o chwaraeon?

Bydd llawer iawn o'r pethau y bydd disgwyl i chi ddweud amdanoch chi eich hun yn gysylltiedig â chwaraeon. Hyd yn oed os nad ydych yn rhagori mewn chwaraeon, bydd angen i chi arbenigo wrth drafod y pwnc.

Enwau gwahanol fathau o chwaraeon

badminton: le badminton
pêl-droed: le football
gêm: le jeu
tennis: le tennis
tennis bwrdd: le tennis de table
sboncen: le squash
hoci: le hockey

Berfau ar gyfer chwaraeon awyr agored

mynd i bysgota: aller à la pêche
mynd allan: sortir
rhedeg: courir
seiclo: faire du cyclisme
nofio: nager
sgïo: faire du ski
mynd am dro: faire une promenade
chwarae: jouer
cerdded, heicio: faire une randonnée

Lleoedd lle gallwch wneud chwaraeon

canolfan chwaraeon: le centre sportif
canolfan hamdden: le centre de loisirs
pwll nofio: la piscine
cae chwarae: le terrain de sport
campfa: le gymnase
parc: le parc
llawr sglefrio: la patinoire

Est-ce que tu as un passe-temps? — A oes gen ti hobi?

Mae pethau eraill y gallwch eu gwneud ar wahân i chwaraeon – mae digon o ddewis i chi yma.

Cyffredinol ond hanfodol

hobi: le passe-temps
diddordeb: l'intérêt (gwr.)
clwb: un club (de ...)
aelod: le membre

Enwau pwysig eraill

gwyddbwyll: les échecs (gwr.)
ffilm: le film
perfformiad: le spectacle
drama (mewn theatr): la pièce de théâtre

Offerynnau cerdd

ffidil: le violon
ffliwt: la flûte
drymiau: la batterie
clarinét: la clarinette
gitâr: la guitare
trwmped: la trompette
piano: le piano
soddgrwth: le violoncelle

Berfau ar gyfer gweithgareddau dan do

cyfarfod: se retrouver
dawnsio: danser
canu: chanter
casglu: collectionner
darllen: lire

Geiriau sy'n gysylltiedig â cherddoriaeth

band, grŵp: le groupe
cryno ddisg/CD: le CD, le disque compact
offeryn: l'instrument (gwr.)
casét: la cassette
cyngerdd: le concert
record: le disque
Hei-ffei: la stéréo

Er mwyn gweld sut mae defnyddio berfau gyda'r gwahanol bersonau, gweler tudalen 87

Hyd yn oed os ydych chi'n casáu chwaraeon a cherddoriaeth mae'n rhaid i chi gymryd arnoch eich bod yn gwneud rhywbeth. A bydd angen i chi adnabod gweddill y geiriau pan fyddwch yn eu clywed. Diolch byth fod rhai ohonynt yn weddol debyg i'r Saesneg a'r Gymraeg.

Yn eich amser hamdden

Mae angen i chi fedru trafod yr hyn rydych chi'n ei wneud yn ystod eich amser rhydd yn yr Arholiadau bob blwyddyn. Mae'n rhaid i chi allu dweud beth ydych chi'n ei wneud, a mynegi barn am hobïau pobl eraill. Rhaid dysgu'r ymadroddion.

Qu'est-ce que tu fais pendant ton temps libre? — Beth wyt ti'n ei wneud yn dy amser rhydd?

Maen nhw'n gofyn hyn i chi bob amser yn yr Arholiadau – felly dysgwch y gwaith.

Je joue au football le week-end.

= Rydw i'n chwarae pêl-droed ar benwythnosau.

badminton: au badminton
tennis: au tennis

bob dydd: chaque jour
bob wythnos: chaque semaine
ddwywaith y mis: deux fois par mois

Mwy am chwaraeon ar dudalen 36

Mwy am amserau ar dudalennau 2-3.

Je joue du piano.

= Rydw i'n canu'r piano.

Mwy o offerynnau ar dudalen 36.

Je suis membre d'un club de tennis.

= Rydw i'n aelod o glwb tennis.

clwb gwyddbwyll: club d'échecs
clwb sboncen: club de squash

PWYSIG
Os ydych chi'n sôn am gêmau defnyddiwch 'jouer à', ond os ydych yn cyfeirio at offerynnau defnyddiwch 'jouer de'.

Awgrym defnyddiol: os ydych chi eisiau siarad am unrhyw glwb chwaraeon rhowch 'club de' ac enw'r math o chwaraeon wedyn.

Est-ce que tu aimes le football? – Wyt ti'n hoffi pêl-droed?

Dyma sut mae dweud beth ydych chi'n ei feddwl o wahanol hobïau – dysgwch yr ymadroddion hyn hyd yn oed os nad oes gennych ddiddordeb o gwbl ynddynt.

Oui, j'adore le football.

Ydw, rydw i wrth fy modd gyda phêl-droed.

Je trouve le football ennuyeux.

= Rydw i'n meddwl bod pêl-droed yn ddiflas.

y sinema: le cinéma
heicio: les randonnées

cyffrous/diddorol: passionnant(e)
diddorol: intéressant(e)

Mwy o ddewis ar dudalen 36

Rydw i'n cytuno: Je suis d'accord.
Dydw i ddim yn cytuno: Je ne suis pas d'accord.
Mae'n wir: C'est vrai.
Nid yw'n wir: Ce n'est pas vrai.

Er mwyn cytuno ac anghytuno gallwch ddefnyddio'r ymadroddion hyn.

Mwy am fynegi barn yn yr adran 'Cyffredinol', tudalennau 6-7

Pourquoi est-ce que tu penses cela?

= Pam wyt ti'n meddwl hynny?

Je n'aime pas courir, parce que c'est difficile.

= Dydw i ddim yn hoffi rhedeg oherwydd mae'n anodd.

cerddoriaeth: la musique

anniddorol: ennuyeux

Felly mae hwn yn waith pwysig. Bydd angen i chi allu dweud beth yw eich hobïau a phryd rydych chi'n eu gwneud nhw. Gofalwch eich bod yn cofio pryd y mae angen defnyddio 'jouer à' a 'jouer de'. Penderfynwch beth yw eich barn am chwaraeon a hobïau.

Mynd allan

Mae'r gwaith hwn ar brynu tocynnau, amserau agor ac ym mhle mae pethau yn hanfodol. Bydd angen i chi allu siarad am hyn yn y sgyrsiau chwarae rôl yn yr Arholiad Siarad neu ei ddeall yn yr Arholiad Gwrando.

Gofyn faint mae rhywbeth yn gostio – 'combien ça coûte?'

Combien coûte l'entrée à la piscine ? = Faint mae'n gostio i fynd i'r pwll nofio?

tennis: le tennis
seiclo: le cyclisme

Ça coûte deux euros . = Mae'n costio 2 ewro.

Chwaraeon a gweithgareddau eraill ar dudalen 36.

Ça coûte deux euros l'heure. = Mae'n costio 2 ewro yr awr.

Mwy o brisiau ar dudalen 45.

Quand la piscine est-elle ouverte? — Pryd mae'r pwll nofio ar agor?

Quand est-ce que la piscine est ouverte ? = Pryd mae'r pwll nofio ar agor?

canolfan chwaraeon: le centre sportif
llawr sglefrio: la patinoire

wedi cau: fermé(e)
ar agor: ouvert(e)

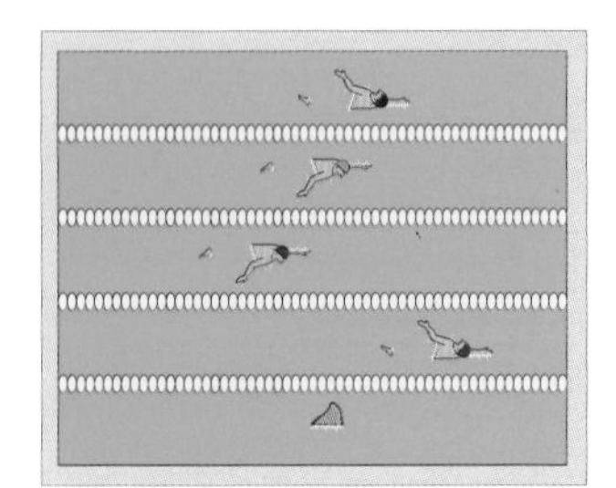

Mwy o leoedd y gallwch holi yn eu cylch ar dudalen 36.

Elle ouvre à neuf heures et demie et ferme à cinq heures . = Mae'n agor am hanner awr wedi naw ac yn cau am bump o'r gloch.

Je voudrais un billet , s'il vous plaît . = Hoffwn i gael un tocyn, os gwelwch yn dda.

dau docyn: deux billets

Mwy o wybodaeth am amserau a rhifau ar dudalennau 1-3.

... près d'ici? - yn ymyl?

Y a-t-il un théâtre près d'ici? = A oes theatr yn ymyl?

cae chwarae: un terrain de sport
ale fowlio: un bowling

chwarae tennis: jouer au tennis
mynd am dro: se promener

Peut-on nager près d'ici? = A yw pobl yn gallu nofio fan hyn?

Hobïau a mwy o leoedd ar dudalennau 21 a 36.

Bydd angen y gwaith hwn arnoch – efallai y bydd angen i chi siarad amdano ac yn sicr bydd rhaid i chi allu ei ddeall i gyd. Ewch ati i'w ddysgu.

Gwahodd pobl allan

Cyfarwyddiadau ar gyfer mynd allan i wneud rhywbeth diddorol: 1) cael rhywun i gytuno i wneud rhywbeth diddorol 2) penderfynu ym mhle a phryd i gyfarfod. Yr hyn sy'n anodd yw gorfod gwneud hynny yn Ffrangeg, mewn Arholiad TGAU!

Sortons – Gadewch i ni fynd allan

Mae'r canlynol yn ymadroddion gwirioneddol ddefnyddiol ar gyfer yr arholiad, felly dysgwch nhw.

Yma mae defnyddio'r ffurf 'nous' yn golygu 'gadewch i ni' – gweler tudalen 97.

Allons à la piscine. = Gadewch i ni fynd i'r pwll nofio.

i'r theatr: au théâtre
i'r parc: au parc

Mwy o leoedd yr hoffech wahodd pobl i fynd iddynt a mwy o weithgareddau neu chwaraeon ar dudalen 36.

Non, merci. = Na dim diolch.

Mae'n ddrwg gen i: Je suis désolé(e)
Yn anffodus, allaf i ddim: Je regrette, je ne peux pas.
Does gen i ddim digon o arian: Je n'ai pas assez d'argent.

Oui, je veux bien. = Ie, buaswn i wrth fy modd.

Syniad da: Bonne idée
Gwych!: Super!

Os gallwch ddysgu hyn a'i ddefnyddio'n gywir byddwch yn sgorio llawer mwy o farciau – mae'n werth rhoi cynnig arni er bod y gwaith ychydig yn anodd.

Je préférerais jouer au football. = Buasai'n well gen i chwarae pêl -droed

mynd am dro: faire une promenade
mynd i seiclo: faire du cyclisme

Où est-ce qu'on se retrouve? – Ble wnawn ni gyfarfod?

Nawr trefnwch y manylion ynglŷn â lle a phryd yr ydych yn mynd i gyfarfod.

On se retrouve devant la mairie. = Fe wnawn ni gyfarfod o flaen neuadd y dref.

yn dy dŷ di: chez toi
yn ymyl yr eglwys: à côté de l'église

Mwy o leoedd eraill ar dudalennau 21, 36 a 44

Mwy am amserau ar dudalennau 2-3

On se retrouve à quelle heure? = Am faint o'r gloch wnawn ni gyfarfod?

On se retrouve à dix heures. = Fe wnawn ni gyfarfod am 10 o'r gloch.

Mae'r ferf 'se retrouver' yn un atblygol. Mwy am hyn yn yr adran 'Gramadeg' ar dudalen 94.

hanner awr wedi dau: deux heures trente
hanner awr wedi tri: trois heures et demie

Mae 'A quelle heure ...?' yn golygu 'Am faint o'r gloch ...?'

Unwaith y byddwch chi wedi meistroli'r gwaith hwn gallwch ofyn i Jean-Claude Van Damme fynd i'r theatr neu drefnu cyfarfod Vanessa Paradis gyferbyn â'r parc. Os na fyddwch yn gallu gwneud hynny ewch yn ôl i adolygu'r gwaith eto nes byddwch yn llwyddo.

Sinema a chyngherddau

Os na fyddwch yn dysgu'r gwaith hwn ar ffilmiau byddwch yn debygol o fynd i weld ffilmiau gwael yn y sinema heb sôn am golli marciau yn yr Arholiad.

Qu'y a-t-il au cinéma? – Beth sydd i'w weld yn y sinema?

Dysgwch sut i brynu tocyn sinema a sut i ofyn pryd mae'r ffilm yn cychwyn.

Combien coûte un billet ? = Faint mae un tocyn yn gostio?

Mwy am rifau ar dudalen 1.

Faint mae dau docyn yn gostio?: Combien coûtent deux billets?

Terfyniad lluosog.

Un billet coûte cinq euros. = Mae un tocyn yn costio 5 ewro.

Je voudrais deux billets , s'il vous plaît. = Buaswn i'n hoffi dau docyn, os gwelwch yn dda.

un tocyn: un billet
tri thocyn: trois billets

À quelle heure finit le spectacle ? = Pryd mae'r perfformiad yn gorffen?

À quelle heure commence le spectacle ? = Pryd mae'r perfformiad yn cychwyn?

y ffilm: le film

Il commence à huit heures et finit à dix heures et demie . = Mae'n cychwyn am 8 o'r gloch ac yn gorffen am hanner awr wedi deg.

Est-ce que le film était bon? – A oedd y ffilm yn un dda?

Mae'n rhaid i chi allu dweud beth oeddech chi'n ei feddwl o'r ffilm. Peidiwch â phoeni – mae hyn yn ddigon hawdd.

Qu'est-ce que tu penses du film ? = Beth wyt ti'n ei feddwl o'r ffilm?

o'r perfformiad: du spectacle
o'r ddrama: de la pièce de théâtre

Il était assez bon . = Roedd (y ffilm) yn reit dda.

da iawn: très bon(ne)
sâl/gwael: mauvais(e)

Pe byddech yn cael eich holi am rywbeth benywaidd byddai'n rhaid rhoi 'elle' yma. Ond mae 'le film' yn wrywaidd – felly mae hwn yn 'il'.

Mwy am fynegi barn ar dudalennau 6-7

Efallai y bydd yn rhaid i chi drefnu mynd i'r sinema gyda rhywun arall felly mae'n rhaid i chi ofyn pryd mae'r ffilm yn cychwyn a deall yr ateb ... a bydd yn rhaid i chi ddweud sut ffilm oedd hi, un dda neu sothach.

Radio a theledu

O'r diwedd – rhywbeth cyfarwydd – teledu! Ond wrth gwrs dydych chi ddim yn cael cyfle i'w wylio – dim ond siarad amdano. Bydd angen i chi siarad hefyd am bethau rydych chi wedi eu gwneud yn ddiweddar. Dysgwch y gwaith yn drwyadl.

Gofynnwch yn gwrtais: Est-ce que je peux ...? Gaf i ...?

Mae'n werth gwybod yr ymadrodd 'Est-ce que je peux ...'. Mae'n ymadrodd cyffredinol i ofyn caniatâd. Gallwch ei ddefnyddio mewn llawer iawn o wahanol sefyllfaoedd. Mae'n hynod o ddefnyddiol.

Est-ce que je peux regarder la télévision , s'il vous plaît ?

= Gaf i wylio'r teledu, os gwelwch chi'n dda?

gwrando ar y radio: écouter la radio
gwneud galwad ffôn: passer un coup de téléphone

Mwy am fod yn gwrtais ar dudalennau 4 a 62

L'émission commence à vingt heures et finit à vingt et une heures trente .

= Mae'r rhaglen yn cychwyn am 8 yr hwyr ac yn gorffen am 9:30 yr hwyr.

Mwy o wybodaeth am ddweud faint o'r gloch yw hi ar dudalen 2

Quelles émissions est-ce que tu aimes regarder ?

= Pa raglenni teledu wyt ti'n hoffi eu gwylio?

Pa lyfrau: Quels livres
darllen: lire

J'aime regarder Pobol y Cwm .

= Rydw i'n hoffi gwylio Pobol y Cwm.

gwrando ar: écouter
darllen: lire

Rhowch enw'r rhaglen neu'r llyfr yma.

Mwy am fynegi barn ar dudalennau 6-7.

Qu'est-ce que tu as fait récemment? — Beth wyt ti wedi ei wneud yn ddiweddar?

Mae hyn yn bwysig tu hwnt. Mae'r math hwn o beth i'w gael mewn miloedd o sgyrsiau.

J'ai vu Godzilla récemment .

= Gwelais i Godzilla yn ddiweddar.

clywed: écouté
darllen: lu

y gân newydd gan Pelydrau Pinc: la nouvelle chanson de Pelydrau Pinc

yr wythnos ddiwethaf: la semaine dernière
bythefnos yn ôl: il y a deux semaines
fis yn ôl: il y a un mois

Mwy am amserau a dyddiadau ar dudalen 2-3

Rhaid i chi fod yn gwrtais yn yr Arholiadau, felly mae defnyddio 'Gaf fi ..' yn bwysig iawn. Mae'r gwaith ar amserau dechrau a gorffen yn debyg i'r hyn sydd ar y dudalen flaenorol ond mae angen dysgu'r berfau a'r eirfa ar gyfer radio a theledu. Mae dweud beth wnaethoch chi a phryd y gwnaethoch chi ef yn ffordd o ennill marciau.

Beth ydych chi'n ei feddwl o ...?

Mae mynegi barn yn un o'r pethau hynny y bydd yr Arholwyr yn chwilio amdanynt ... felly dysgwch y gwaith hwn yn drylwyr.

Defnyddiwch 'je le trouve ...' i roi eich barn

Os byddwch yn digwydd trafod cerddoriaeth neu ffilm yn yr Arholiad, bydd yn rhaid i chi ddweud un ai eich bod yn ei hoffi neu nad ydych yn ei hoffi.

Je trouve ce groupe bon . = Rydw i'n meddwl bod y band yma'n dda.

y tîm yma: cette équipe
y cylchgrawn yma: ce magazine
y gerddoriaeth yma: cette musique

gwael/sâl: mauvais(e)
ardderchog: excellent(e)
diflas: ennuyeux/ennuyeuse
eithaf da: assez bon(ne)

Geiriau i fynegi barn

Mwy am fynegi barn ar dudalennau 6-7.

Est-ce que tu aimes ...? – Wyt ti'n hoffi ...?

Rydych chi wedi rhoi eich barn chi. Mae'n rhaid i chi hefyd ofyn am farn rhywun arall.

Est-ce que tu aimes ce groupe ? = Wyt ti'n hoffi'r band yma?

y ffilm yma: ce film
y papur newydd yma: ce journal
y llyfr yma: ce livre

Je n'aime pas ce groupe . Je le trouve mauvais . = Dydw i ddim yn hoffi'r band yma. Rydw i'n meddwl ei fod yn wael.

Mae'r rhain wedi eu cysylltu. Os yw'r rhan gyntaf yn wrywaidd, mae'n rhaid i'r ail ran fod yn wrywaidd hefyd.

ef/hi: le/la

Defnyddiwch unrhyw un o'r geiriau mynegi barn ar dop y dudalen.

Est-ce que tu es d'accord? = Wyt ti'n cytuno?

Mae'r rhain yn ffyrdd cyffredinol o ofyn a yw rhywun yn cytuno â'r hyn rydych chi newydd ei ddweud.

D'accord. = Iawn!/O'r gorau/Rydw i'n cytuno.

Je trouve ce journal ennuyeux. Et toi? = Rydw i'n meddwl bod y papur newydd yma'n ddiflas. Beth amdanat ti?

Mae rhoi eich barn am bethau yn ffordd o gael marciau uchel yn yr Arholiad. Mae'n eithaf hawdd dweud a ydych chi'n hoffi rhywbeth neu beidio, felly nid oes gennych esgus o gwbl. Dysgwch yr ymadroddion hyn.

Crynodeb adolygu

Mae'r cwestiynau hyn yn ffordd wirioneddol dda o ddarganfod beth ydych chi yn ei wybod neu ddim yn ei wybod – sy'n golygu eich bod yn gallu canolbwyntio ar y rhannau nad ydych yn sicr ohonynt. Cofiwch nad yw'n bosibl dysgu popeth mewn diwrnod. Ewch yn ôl dros y gwaith y diwrnod wedyn ac yna ymhen wythnos...

1) Beth yw pob un o'r chwaraeon hyn yn Ffrangeg? Beth yw enw'r lle neu'r adeilad lle byddech chi'n mynd i wneud pob un ohonynt? a) pêl-droed b) nofio c) sboncen ch) sglefrio

2) Ecris cinq passe-temps que tu aimes, et cinq que tu n'aimes pas.

3) Ysgrifennwch hynny fedrwch chi o eiriau sy'n ymwneud â chwarae neu wrando ar gerddoriaeth.

4) Mae Jean-Marc yn gofyn i Marie-Noëlle a oes ganddi hi hobi. Mae hi'n dweud ei bod hi'n chwarae gitâr, seiclo a darllen llyfrau. Ysgrifennwch eu sgwrs yn Ffrangeg.

5) Mae François ac Anne yn dadlau. Mae François yn dweud ei fod yn hoffi tennis oherwydd ei bod yn (gêm) gynhyrfus. Mae Anne yn meddwl bod tennis yn ddiflas ac yn anodd. Ysgrifennwch eu sgwrs yn Ffrangeg.

6) Dywedwch eich bod yn mynd am dro ar y penwythnos a'ch bod yn aelod o glwb tennis bwrdd.

7) Rydych chi eisiau chwarae sboncen. Gofynnwch pryd mae'r ganolfan chwaraeon ar agor a faint mae chwarae sboncen yn gostio. Gofynnwch am ddau docyn.

8) Sut fyddech chi'n gofyn a) a oes canolfan chwaraeon yn ymyl?
b) a yw hi'n bosibl chwarae badminton yn ymyl?

9) Mae Dai eisiau gweld 'Jeanne d'Arc' yn y sinema, ond mae Isabelle yn dweud ei bod hi eisiau mynd i weld 'Manon des Sources'. Maen nhw'n trefnu cyfarfod o flaen y sinema am 8 o'r gloch. Ysgrifennwch eu sgwrs yn Ffrangeg.

10) Dywedwch yr hoffech chi fynd i'r sinema, ond yn anffodus does gennych chi ddim digon o arian. Awgrymwch felly eich bod yn mynd am dro.

11) Tu veux aller à un concert. Le concert commence à vingt et une heures et finit à vingt-deux heures trente. Un billet coûte cinq euros. Comment est-ce qu'on dit ça en gallois?

12) Pa gwestiynau fyddai'n rhaid i chi eu gofyn i ddarganfod y wybodaeth yng nghwestiwn 11?

13) Rydych chi yng nghartref eich ffrind llythyru. Gofynnwch a gewch chi wrando ar y radio. Dywedwch hefyd eich bod chi'n hoffi gwylio'r teledu.

14) Meddyliwch am ffilm a welsoch chi'n ddiweddar ac un a welsoch chi fis yn ôl, a dywedwch hyn yn Ffrangeg. (Nid oes raid i chi gyfieithu teitl y ffilm i'r Ffrangeg.)

15) Rydych chi'n hoffi'r grŵp 'Y Cneifwyr', ond rydych chi'n meddwl fod 'Myfyr a'r Mwncïod' yn ardderchog. Sut fyddech chi'n dweud hynny wrth rywun yn Ffrangeg?

16) Sut fyddech chi'n gofyn i'ch ffrind llythyru a yw ef/hi'n cytuno? (Mae dwy ffordd bosibl o wneud hyn.)

Ble a phryd

Mae'r adran hon yn ymdrin â phethau sylfaenol sydd angen i chi eu gwybod am siopa a bwyta.

Où est ...? Ble mae ...?

Mae hwn yn gwestiwn defnyddiol tu hwnt.

Où est le supermarché, s'il vous plaît?

= Ble mae'r archfarchnad, os gwelwch yn dda?

siop gig: la boucherie
siop fara: la boulangerie
siop groser: l'épicerie

Mae trefn y geiriau yr un fath ag yn y Gymraeg.

Gofynnwch pryd mae siopau yn agor gan ddefnyddio 'quand ...?' 'pryd ...?'

Mae arnoch angen y brawddegau defnyddiol hyn i ddweud pryd mae siop ar agor neu wedi cau. Gofalwch eich bod yn gwbl hapus â nhw – maen nhw'n sicr o ymddangos yn yr arholiad.

Quand est-ce que le supermarché est ouvert ?

Neu unrhyw siop arall.

= Pryd mae'r archfarchnad ar agor?

wedi cau: fermé(e)

Quand est-ce que le supermarché ferme ?

= Pryd mae'r archfarchnad yn cau?

yn agor: ouvre

Amserau ar dudalen 2 yn yr adran 'Cyffredinol'

Le supermarché ferme à dix-neuf heures .

= Mae'r archfarchnad yn cau am 7:00 yr hwyr.

D'autres magasins – siopau eraill

fferyllfa: la pharmacie
siop felysion: la confiserie
siop lyfrau: la librairie
siop bapur ysgrifennu: la papeterie
siop bapur newydd: le tabac, le kiosque à journaux
siop bysgod: la poissonnerie

siop fawr: le grand magasin
marchnad: le marché
canolfan siopa: le centre commercial
siop cig oer: la charcuterie
siop deisennau: la pâtisserie
archfarchnad fawr: l'hypermarché (gwr.)

Mae'n rhaid i chi allu gofyn ym mhle mae pethau a phryd maen nhw'n agor. Mae'r gwaith yn gwbl sicr o ymddangos yn yr Arholiad. Dysgwch y brawddegau sampl ar eich cof a dysgwch enwau gymaint o siopau ag y gallwch.

Dweud beth hoffech chi ei brynu

Byddwch yn sicr o orfod ateb cwestiynau am brynu pethau yn yr Arholiad.

L'argent français – Arian Ffrengig

Mae arian Ffrengig yn hawdd ei ddeall. Mae 100 cent mewn ewro, fel 100 ceiniog mewn punt.

Dyma beth fyddech chi'n weld ar docyn pris yn Ffrainc:

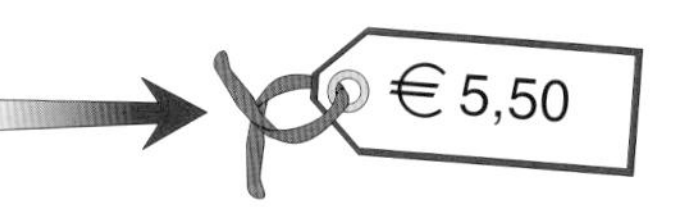

Dyma sut ydych chi'n dweud y pris: *'Cinq euros cinquante cents'* = 5 ewro 50 cent

Rhifau – gweler tudalen 1.

Je voudrais ... – Hoffwn i ...

Gofalwch eich bod yn gwbl hapus gyda 'Je voudrais' – bydd angen hwn arnoch drwy'r adeg.

Je voudrais une baguette, s'il vous plaît. = Hoffwn i gael baguette, os gwelwch yn dda.

Je voudrais un pantalon ; ma taille est quarante-six. = Hoffwn i gael trowsus. Fy maint ydy 46.

Dillad: gweler tudalen 47.

Manylyn pwysig:
Ffordd dda arall o ddweud 'Hoffwn i' yw 'J'aimerais bien ...'.

Meintiau dillad ar y cyfandir
maint: la taille
maint ffrogiau: 10 / 12 / 14 / 16: 38 / 40 / 42 / 44
maint esgidiau: 5 / 6 / 7 / 8 / 9 / 10: 38 / 39 / 40 / 41 / 42 / 43

Gallent ofyn i chi pa liw hoffech chi – quelle couleur ...?

Mae lliwiau yn dod i'r amlwg o hyd, felly dysgwch y canlynol yn iawn. Daw'r lliw ar ôl yr enw, ac mae'n rhaid iddo gytuno ag ef (ychwanegwch 'e' os yw'r enw yn fenywaidd ac 's' os yw'r enw yn lluosog).

Je voudrais un pantalon bleu. = Hoffwn i gael trowsus glas.

Lliwiau: les couleurs

du: noir(e)	*gwyrdd:* vert(e)	*pinc:* rose
gwyn: blanc(he)	*glas:* bleu(e)	*porffor/piws:* violet(te)
coch: rouge	*brown:* brun(e)	*glas golau:* bleu clair
melyn: jaune	*oren:* orange	*glas tywyll:* bleu foncé

Terfyniadau ansoddeiriau ar dudalen 80

Je voudrais une jupe verte. = Hoffwn i gael sgert werdd.

Mae'r rhain i gyd eto yn bethau hanfodol – arian, maint cywir, lliwiau...

Siopa: pethau sylfaenol

Dyma dudalen arall sy'n eithaf pwysig ond sydd heb fod yn rhy anodd. Gallwch ddysgu cwestiynau ac atebion safonol yma a byddant yn arbed i chi orfod meddwl.

Est-ce que je peux vous aider? — Gaf fi i eich helpu chi?

Dywedwch beth fuasech chi'n ei hoffi, gan ddefnyddio 'Je voudrais ...':

Je voudrais cinq cents grammes de sucre, s'il vous plaît.

1kg: un kilo
2kg: deux kilos

= Fe hoffwn i 500g o siwgr, os gwelwch yn dda.

Gallai'r siopwr ofyn y cwestiwn:

Autre chose? = Rhywbeth arall? ...neu... C'est tout? = Dyna'r cwbl?

Gallech chi wedyn ateb drwy ddweud:

Oes/Ie: Oui
Nac oes/Na: Non

Non, merci. = Na, dim diolch.

...neu...

dau afal: deux pommes
tair gellygen: trois poires

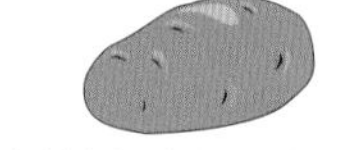

Oui, je voudrais aussi une pomme de terre, s'il vous plaît.

= Ie, hoffwn i gael taten hefyd os gwelwch yn dda.

Est-ce que vous avez ...? – Oes gennych chi ...?

Mae'n rhaid i chi allu gofyn a oes gan y siopwr yr hyn yr ydych yn chwilio amdano.

Excusez-moi, avez-vous du pain? = Esgusodwch fi, oes gennych chi fara?

llaeth: du lait
wyau: des oeufs

Oui, le voilà. = Oes, dyma fe.

ef/hi/: le/la

Non, nous n'en avons pas. = Nac oes, does gennym ni ddim.

Est-ce que vous le prenez? – Ydych chi'n mynd i gymryd hwn'na?

Prynu ynteu peidio â phrynu – dyna'r cwestiwn!
Dysgwch yr ymadroddion hyn:

Je le prends. = Gwnaf ei gymryd.

ei: le/la

... a:

Je ne le prends pas. Je n'aime pas la couleur.

Mae'n rhy fach: C'est trop petit.
Mae'n rhy ddrud: C'est trop cher.

= Wnaf i ddim ei gymryd.
Dydw i ddim yn hoffi'r lliw.

Byddwch yn gweld yr iaith siopa yma yn ddefnyddiol iawn. Dysgwch gymaint ag y gallwch a chofiwch, cyn belled â'ch bod chi'n gwybod y gwaith, byddwch yn gwneud yn dda yn yr Arholiad. Mae pethau mor syml â hynny.

Dillad ac arian poced

Maen nhw bob amser eisiau i chi ddweud beth ydych chi'n ei wneud â'ch arian poced er nad yw'n ddim o'u busnes nhw i ddweud y gwir.

Les vêtements – Dillad

Mae'r rhan fwyaf o'r dillad hyn yn bethau cyffredin – felly bydd angen i chi eu gwybod.

J'aime ce manteau. = Rydw i'n hoffi'r gôt yma.

Je n'aime pas ce manteau. = Dydw i ddim yn hoffi'r gôt yma.

crys: la chemise
trowsus: le pantalon
sgert: la jupe
siwmper: le pull-over
hosan: la chaussette
esgid: la chaussure
ffrog: la robe

côt: le manteau
het: le chapeau
crys T: le tee-shirt
siwt: le costume
siaced: la veste
tei: la cravate
maneg: le gant

teits: le collant
siorts/trowsus byr: le short
côt law: l'imperméable (gwr.)
pâr o sanau: une paire de chaussettes

Byddwch yn ofalus: mae 'le pantalon' yn air gwrywaidd unigol.

L'argent de poche – Arian poced

Dysgwch sut i ddweud wrth yr arholwr faint o arian poced ydych chi'n ei gael, pa mor aml a sut yr ydych yn ei wario.

Je reçois cinq livres d'argent de poche par semaine. = Rydw i'n cael £5 o arian poced bob wythnos.

£3: trois livres
£10: dix livres

mis: mois

Rhifau a chyfnodau eraill ar dudalennau 1-3

Je dépense mon argent de poche sur des CD. = Rydw i'n gwario fy arian poced ar gryno ddisgiau.

dillad: vêtements
llyfrau: livres
gêmau cyfrifiadurol: jeux électroniques
melysion: bonbons

Les soldes – Y sêls

Dyma frawddegau sy'n ymwneud â siopa yn gyffredinol.

Enwch unrhyw siop yma.

Il y a des soldes au supermarché. = Mae sêl yn yr archfarchnad.

sêls: les soldes (gwr.)

Rydw i'n hoffi siopa: J'aime faire les courses.
Rydw i'n arbennig o hoff o brynu llyfrau: J'aime surtout acheter des livres.
Rydw i'n siopa'n aml yn y siop fara: Je fais souvent les courses à la boulangerie.
Rydw i'n mynd i siopa unwaith yr wythnos: Je fais les courses une fois par semaine.

Cofiwch beidio ag anghofio'r geiriau am ddillad! Mae rhai ohonynt yn hynod o hawdd – le tee- shirt, le pull-over, le short, ac ati. Mae angen mwy o waith dysgu gyda rhai eraill. Bydd yn werth yr ymdrech.

Bwyd

Mae angen i chi ddysgu'r eirfa ar gyfer yr holl fwyd cyffredin, a'ch hoff fwydydd chi.
Mae nifer fawr o eiriau newydd yma ond po fwyaf ohonynt ydych yn eu gwybod gorau oll.

L'épicerie et la boucherie – Siop y groser a siop y cigydd

Mae'r rhain yn eiriau sylfaenol – mae'n rhaid i chi eu gwybod yn iawn.

***Llysiau:* les légumes (gwr.)**
taten: la pomme de terre
moronen: la carotte
tomato: la tomate
ciwcymber: le concombre
nionyn: l'oignon (gwr.)
blodfresychen: le chou-fleur
ffeuen Ffrengig: le haricot-vert
madarchen: le champignon
bresychen: le chou
letysen: la salade
pysen: le petit pois

***Cigoedd:* les viandes (ben.)**
bîff/cig eidion: le boeuf
porc: le porc
cyw iâr: le poulet
cig oen: l'agneau (gwr.)
sosej/selsigen: la saucisse
salami: le saucisson
cig mochyn/ham: le jambon
stecen/stêc: le bifteck
pysgodyn: le poisson
bwyd môr: les fruits de mer

***Ffrwythau:* les fruits (gwr.)**
afal: la pomme
banana: la banane
mefusen: la fraise
lemon: le citron
oren: l'orange (ben.)
mafonen goch: la framboise
eirinen wlanog: la pêche
gellygen: la poire

Les boissons et les desserts – Diodydd a phwdinau

Mae pwdin a diod yn rhan hanfodol o bryd bwyd!

***Diodydd:* les boissons (ben.)**
cwrw: la bière
te: le thé
coffi: le café
coffi gwyn: le café au lait
gwin: le vin
gwin coch/gwyn: le vin rouge/blanc
sudd oren: le jus d'orange
dŵr mwynol: l'eau minérale (ben.)

***Pwdinau:* les desserts (gwr.)**
teisen: le gâteau
bisged: le biscuit
hufen iâ: la glace
siocled: le chocolat
siwgr: le sucre
hufen: la crème
crempog: la crêpe
iogwrt: le yaourt
mêl: le miel
jam: la confiture

D'autres aliments – Bwydydd eraill

Dyma fwy o fwydydd cyffredin – a rhai bwydydd arbennig lleol yr hoffech eu blasu efallai pan fyddwch ar eich gwyliau yn Ffrainc. Dysgwch gymaint ohonynt ag y gallwch.

bara: le pain
llaeth: le lait
menyn: le beurre
caws: le fromage
rôl fara: le petit pain
cawl: le potage
grawnfwydydd brecwast: les céréales (ben.)
sglodion tatws: les pommes frites (ben.)
creision: les chips

wy: l'oeuf (gwr.)
halen: le sel
pupur: le poivre
reis: le riz
pasta: les pates (ben.)

le pain, le fromage et le lait.

***Bwydydd Ffrengig:* les spécialités françaises**
croissant: le croissant
sudd lemon ffres gyda dŵr a siwgr: un citron pressé
brechdan boeth gyda chaws a ham: un croque-monsieur
brechdan boeth gaws gydag wy wedi ei ffrio ar ei phen: un croque-madame
malwod: les escargots (gwr.)
llysiau amrwd: les crudités (ben.)

Mae llawer o fwydydd yn hawdd, e.e. le biscuit, la crème, le café, ond mae llawer o rai eraill y bydd yn rhaid i chi wneud ymdrech i'w dysgu. Gofalwch eich bod yn gallu eu sillafu hefyd neu byddwch yn cael trafferthion yn yr Arholiad Ysgrifennu. Dysgwch enwau'r bwydydd Ffrengig rhag ofn y bydd angen i chi archebu bwyd e.e. malwod!

Hoff bethau a gofyn am bethau

Mae'r dudalen hon yn cynnwys pethau sy'n ddefnyddiol ar gyfer bywyd yn gyffredinol – nid yn unig ar gyfer prydau bwyd. Defnyddiwch hyn er mwyn dweud beth ydych chi'n ei hoffi a gofyn i bobl am bethau yn gwrtais.

J'aime ... – Rydw i'n hoffi ...

Defnyddiwch yr ymadroddion hyn wrth siarad am unrhyw beth ydych chi'n ei hoffi neu ddim yn ei hoffi.

J'aime les pommes . = Rydw i'n hoffi afalau.

bananas: les bananes
hufen: la crème

Je n'aime pas les légumes . = Dydw i ddim yn hoffi llysiau.

afalau: les pommes
coffi: le café

fegan: végétalien(ne)

Je suis végétarien(ne) . = Rydw i'n llysieuwr(wraig).

Enwau bwydydd ar dudalen 48.

Dywedwch 'Oui merci' – nid 'Oui s'il vous plaît'.

Mae hyn yn syml iawn.

Oui merci. = Oes/Ie, os gwelwch yn dda.

Non merci. = Dim diolch.

Pourriez-vous ...? – Allech chi ...?

Dyma ddau ymadrodd defnyddiol i'w dysgu.
Os byddwch yn gallu eu defnyddio'n gywir byddwch yn gallu siarad yn hynod o gwrtais.

Est-ce que je peux avoir le sel , s'il vous plaît? = Allaf i gael yr halen, os gwelwch yn dda?

napcyn: une serviette
y siwgr: le sucre
yr hufen: la crème
y llaeth: le lait

Pourriez-vous me passer le poivre , s'il vous plaît? = Wnewch chi estyn y pupur i mi, os gwelwch yn dda?

Est-ce que tu as faim ou soif? – Wyt ti eisiau bwyd neu eisiau diod?

Cwestiynau pwysig iawn, felly gofalwch eich bod yn gallu eu hateb.

Est-ce que tu as faim ? = Wyt ti eisiau bwyd?

eisiau diod: soif

J'ai faim . = Rydw i eisiau bwyd.

eisiau diod: soif

Non merci, je n'ai pas faim . = Na dim diolch, dydw i ddim eisiau bwyd.

Gofalwch eich bod yn gwybod sut i ddweud wrth bobl beth ydych chi'n ei hoffi neu ddim yn ei hoffi – bydd yr arholwr yn sicr o ofyn. Ac os ydych chi'n dweud eich bod yn llysieuwr/wraig neu fegan, dysgwch y geiriau am lysiau a phethau y gallwch eu bwyta.

Cinio

Mae llawer o'r gwaith hwn yn ddefnyddiol mewn gwahanol sefyllfaoedd – nid mewn sgyrsiau 'bwrdd bwyd' yn unig. Os ydych chi eisiau marc da, dysgwch y gwaith hwn yn drylwyr.

Est-ce que vous aimez le dîner? – Ydych chi'n hoffi'r cinio?

Byddant yn gofyn hyn i chi yn y rhan fwyaf o dai bwyta.
Os dysgwch chi'r atebion fyddwch chi ddim yn cael trafferthion o gwbl.

Le repas était bon.
= Roedd y pryd yn dda.

da iawn: très bon(ne)
gwael: mauvais(e)
gwael iawn: très mauvais(e)

Le repas n'était pas bon.
= Doedd y pryd ddim yn dda.

Le petit déjeuner était délicieux, merci.
= Roedd y brecwast yn flasus, diolch.

Voudriez-vous ...? Fuasech chi'n hoffi ...?

Mae 'voudriez' yn yr amser amodol – gweler tud. 96

Dyma ffurf arall ar y gair 'vouloir'. Mae'r brawddegau hyn yn hanfodol bwysig – gallwch eu defnyddio i ofyn pob math o wahanol gwestiynau.

Voudriez-vous le sel ?
= Fuasech chi'n hoffi cael yr halen?

Mae hyn yn debyg i'r hyn sydd ar y dudalen flaenorol – felly ewch i dudalen 49 i gael mwy o eirfa bosibl.

y pupur: le poivre
y gwin: le vin
yr ymenyn: le beurre

Est-ce que je peux vous passer une serviette ?
= Gaf fi estyn napcyn i chi?

Os ydych chi eisiau ychydig yn unig, gofynnwch am 'un peu'.

Mae'r geiriau hyn am 'feintiau' yn hynod o ddefnyddiol. Gallech eu defnyddio yn aml iawn yn yr Arholiad – ac ennill llawer mwy o farciau.

Je voudrais beaucoup de sucre, s'il vous plaît.
= Hoffwn i lawer o siwgr, os gwelwch yn dda.

ychydig: un peu

Je voudrais un grand morceau de gâteau.
= Hoffwn i ddarn mawr o deisen.

J'ai assez mangé, merci.
= Rydw i wedi bwyta digon, diolch.

llawer: beaucoup

Ça suffit.
= Dyna ddigon.

Mwy o waith ar 'feintiau' ar dudalen 1.

Mae llawer iawn o bethau defnyddiol ar y dudalen hon. Mae digonedd o sefyllfaoedd lle gallech chi ddefnyddio geiriau fel 'llawer', 'dim llawer', ychydig', ac ati.

Cinio

Byddwch wedi gweld rhai o'r brawddegau hyn yn barod mewn gwahanol sefyllfaoedd, a gyda geirfa wahanol. Mae sgyrsiau chwarae rôl mewn tai bwyta yn ymddangos drwy'r adeg, felly mae hwn yn waith hynod o bwysig.

Dans le restaurant – Yn y tŷ bwyta

Byddwch angen y gwaith hyn yn eich Prawf Siarad – felly dysgwch yn drwyadl.

Garçon!

Mademoiselle!

Dyma'r geiriau fyddech chi'n eu defnyddio wrth alw ar y gweinydd neu'r weinyddes ...

... a dyma enwau'r swyddi.

gweinydd: le serveur
gweinyddes: la serveuse

Est-ce que je peux avoir la carte, s'il vous plaît? = Gaf i'r fwydlen os gwelwch yn dda?

Où sont les toilettes, s'il vous plaît? = Ble mae'r toiledau, os gwelwch yn dda?

mae (unigol): est
y ffôn: le téléphone

Gofyn ble mae pethau ar dudalen 16 – 'Gwestai'

Je voudrais ... – Hoffwn i ...

Gallwch ddefnyddio'r stwff yma mewn siopau hefyd – ardderchog.

Geirfa bwyd ar dudalen 48.

Est-ce que vous avez des crêpes ? = Oes gennych chi grempogau?

bananas: des bananes
bara: du pain

yr omled: l'omelette (ben.)
saig y dydd: le plat du jour

salad: de la salade
reis: du riz
moron: des carottes (ben.)

Je voudrais le bifteck avec des pommes frites. = Hoffwn i'r stecen gyda sglodion.

Je voudrais goûter ... – Hoffwn i flasu ...

Mae cymaint o wahanol fathau o fwyd fel ei bod yn amhosibl cofio sut flas sydd ar bopeth. Felly dyma frawddeg ddefnyddiol y gallwch ei defnyddio pan fyddwch wedi anghofio sut flas sydd ar rywbeth.

C'est comment, le goût des escargots ? = Sut flas sydd ar falwod?

cwningen: du lapin

Est-ce que vous avez fini? – Ydych chi wedi gorffen?

Mae'n amhosibl osgoi'r frawddeg hon.
Ni allwch adael y tŷ bwyta heb dalu.

L'addition, s'il vous plaît. = Gaf fi'r bil, os gwelwch yn dda?

Est-ce que je peux payer? = Gaf i dalu?

Mae'n rhaid i chi ddysgu'r hyn sydd ar y dudalen hon felly byddwch yn barod. Os dysgwch bopeth ar eich cof ni fydd yn rhaid i chi boeni – byddwch yn sicr o orfod siarad am fwyd yn ystod yr Arholiadau.

Mewn tŷ bwyta

Nid yw'r gwaith hwn ar dai bwyta yn anodd – ond bydd eich Prawf Siarad yn anodd os na fyddwch yn ei ddysgu.

Est-ce que vous avez une table libre? – Oes gennych chi fwrdd gwag?

Mae'r rhan hon yn hawdd – ac yn sicr yn werth ei dysgu.

Une table pour quatre personnes, s'il vous plaît. = Bwrdd i bedwar, os gwelwch yn dda.

dau: deux
tri: trois

Mwy am rifau ar dudalen 1.

Nous sommes quatre. = Mae 'na bedwar ohonom ni.

dau: deux
tri: trois

Nous voudrions nous asseoir à l'extérieur. = Buasem ni'n hoffi eistedd tu allan.

ar y teras: sur la terrasse

Je ne suis pas satisfait(e) – Dydw i ddim yn fodlon

Os ydych chi eisiau cwyno ynglŷn â rhywbeth – dysgwch hyn:

Je voudrais me plaindre. = Hoffwn i wneud cwyn.

... a chofiwch ddweud pam rydych chi'n cwyno:

= Dydy'r bîff ddim wedi coginio digon (yn llythrennol: mae'r bîff yn waedlyd)

Y stêc: Le bifteck
Y porc: Le porc
Y coffi: Le café

mwy o eirfa bwyd ar dudalen 48.

rhy boeth: trop chaud(e)
rhy oer: trop froid(e)

Le service – Tâl gwasanaeth

Byddwch yn rhoi argraff dda i'r arholwyr os byddwch yn crybwyll hyn yn yr Arholiad:

Est-ce que le service est compris? = Ydy'r gwasanaeth yn gynwysedig?

Rhai geiriau defnyddiol y gallech chi eu gweld ar fwydlen:

Service compris (= gwasanaeth yn gynwysedig)
Le couvert (= tâl am sedd)
Prix fixe (= pris penodol)

boeuf et oeuf
Service compris

Os bydd gwaith am dai bwyta yn ymddangos yn yr Arholiad byddwch yn falch iawn eich bod wedi adolygu'r tudalennau hyn. Ac os ydych chi eisiau marc da mae'n rhaid i chi greu argraff ar yr arholwyr. Felly mae'n rhaid i chi ddysgu popeth.

Crynodeb adolygu

Mae'r math hwn o beth i'w gael bob amser mewn papurau arholiad, felly gofalwch eich bod yn gwybod yr holl eirfa ar gyfer siopa a phrydau. Rydych yn gwybod y drefn erbyn hyn – atebwch y cwestiynau yna ewch yn ôl i adolygu'r rhai oedd yn peri trafferth i chi. YNA ewch yn ôl drostynt a gwiriwch eich bod yn gallu eu gwneud yn iawn.

1) Rydych chi eisiau bara. Sut rydych chi'n gofyn ym mhle mae'r siop fara ac a yw'r siop ar agor?

2) Mae gennych gur pen dychrynllyd. Gofynnwch ym mhle mae'r fferyllfa agosaf, a gofynnwch a yw hi ar agor nawr. Gofynnwch beth yw oriau agor y fferyllfa.

3) Beth yw'r Ffrangeg am y canlynol: a) siop papur ysgrifennu b) siop deisennau c) siop gig ch) siop lyfrau d) siop felysion dd) archfarchnad?

4) Rydych chi wedi bod yn edrych ar jîns ond rydych chi wedi penderfynu peidio â phrynu rhai. Mae siopwraig yn gofyn 'Est-ce que je peux vous aider?' Sut rydych chi'n ateb?

5) Rydych chi eisiau prynu siwmper frown, maint 48, a thri phâr o sanau. Sut rydych chi'n dweud hyn wrth y siopwr(wraig)?

6) Mae eich ffrind llythyru yn gofyn a ydych chi'n hoffi ei gôt/chôt newydd.
Dywedwch nad ydych chi'n ei hoffi, rydych chi'n hoffi cotiau mawr coch neu gotiau bach melyn. Gofynnwch faint oedd y gôt yn gostio.

7) Sut fyddech chi'n gofyn a oes sêl yn yr archfarchnad?

8) Gofynnwch am 1 kilo o afalau. Mae'r siopwr yn gofyn : 'Voudriez-vous autre chose?' Beth mae'n ei olygu?

9) Rydych chi'n dweud wrth eich ffrind llythyru, Jean-Claude, am eich arferion siopa. Dywedwch eich bod yn cael £5 o arian poced yr wythnos, a'ch bod chi'n hoffi prynu siocled ond nad ydych chi'n hoffi siopa.

10) Rydych chi'n gwneud salad ffrwythau ar gyfer parti. Meddyliwch am gymaint o ffrwythau ag y gallwch i'w rhoi ynddo – o leiaf 5. Gwnewch restr o 5 diod y gallech chi eu cynnig i bobl yn y parti.

11) Ysgrifennwch sut y byddech chi'n dweud eich bod yn hoffi llysiau ond nad ydych chi'n hoffi selsig. Dywedwch hefyd eich bod eisiau bwyd.

12) Diolchwch i'r gwesteiwyr am y pryd bwyd, dywedwch eich bod wedi ei fwynhau a'i fod yn flasus. Cynigwch estyn y llaeth i'r westeiwraig (cofiwch ddewis y ffurf 'chi'.)

13) Rydych chi'n mynd allan am bryd o fwyd. Gofynnwch a fyddai'n bosibl i chi gael bwrdd i ddau a gofynnwch ym mhle mae'r toiledau.

14) Gofynnwch am sudd oren a stêc a sglodion i chi, a chyw iâr gyda thatws a moron i'ch ffrind.

15) Tynnwch sylw'r weinyddes a dywedwch yr hoffech chi gael y bil. Dywedwch wrthi hi fod y pryd bwyd yn dda ond bod y tatws yn oer. Gofynnwch a yw'r gwasanaeth yn gynwysedig yn y pris.

Fi fy hun

Efallai eich bod yn gwybod rhywfaint o'r gwaith hwn yn barod, ond mae'n hynod o bwysig, felly gofalwch eich bod yn ei wybod yn drylwyr. Maen nhw'n sicr o ofyn rhywbeth i chi am hyn yn yr Arholiadau Siarad ac Ysgrifennu.

Parle-moi de toi-même – Dywed rywbeth amdanat ti dy hun

Beth ydy d'enw di?: Comment tu t'appelles?

Je m'appelle Angela. = Fy enw i ydy Angela.

Faint ydy d'oed di?: Quel âge as-tu?

J'ai quinze ans. = Rydw i'n 15 oed.

Pryd mae dy ben-blwydd di?: Quand est ton anniversaire?

Mon anniversaire est le douze décembre. = Mae fy mhen-blwydd ar y 12fed o Ragfyr.

Mwy am eich ardal ar dudalennau 23 a 56, mwy am rifau ar dudalen 1 a mwy o ddyddiadau ar dudalen 2

Ym mhle wyt ti'n byw?: Où habites-tu?

J'habite à Llanfairfechan. = Rydw i'n byw yn Llanfairfechan.

Beth wyt ti'n ei hoffi?: Qu'est-ce que tu aimes?

J'aime le football. = Rydw i'n hoffi pêl-droed.

Defnyddiwch hyn i ddweud eich bod chi'n hoffi neu ddim yn hoffi pethau, ond byddwch yn ofalus: Mae 'Je t'aime' yn golygu 'Rydw i'n dy garu di'.

Tu es comment? – Sut un wyt ti?

Mae'n rhaid i chi ddisgrifio pa mor hardd ydych chi hefyd – gallwch ddweud celwydd yn yr Arholiad Ysgrifennu ond nid yn yr Arholiad Siarad!

Je suis grand(e). = Rydw i'n dal.

bach/byr: petit(e)
tew: gros(se)
tenau: maigre
main: mince
taldra canolig: de taille moyenne

J'ai les yeux marron. = Mae gen i lygaid brown.

glas: bleus
gwyrdd: verts

...Cymru
Annwyl Simon,
Rydw i'n ferch un ar bymtheg oed ac mae gen i wallt du-aidd, croen golau a llygaid brown ...

J'ai les cheveux longs. = Mae gen i wallt hir.

byr: courts
at fy ysgwyddau: mi-longs
eithaf hir: assez long

tywyll: foncés
golau: clairs
melyn: blonds
coch: roux
du: noirs

Mwy o liwiau ar dudalen 45

Comment ça s'écrit? – Sut wyt ti'n sillafu hynny?

Efallai y bydd rhaid i chi sillafu eich enw ac enw eich tref fesul llythyren yn yr Arholiad Siarad.

Comment ça s'écrit? = Sut ydych chi'n sillafu hynny?

Dyma sut mae ynganu llythrennau'r wyddor Ffrengig. Wrth ymarfer, dywedwch bob llythyren yn uchel.

A — â	H — ash	O — o	U — u (fel yn y gair Ffrangeg 'tu')
B — be	I — i	P — pe	V — fei
C — sê	J — ji	Q — cu (fel yn y gair Ffrangeg 'tu')	W — dwbly fei
D — de	K — ca	R — er	X — ics
E — y (fel 'y'Gymraeg)	L — el	S — es	Y — igrec
F — eff	M — em	T — te	Z — sed
G — jê	N — en		

Dysgwch sut i ofyn ac ateb cwestiynau amdanoch chi eich hun. Gofalwch eich bod yn gwybod yr wyddor yn Ffrangeg. Os byddwch yn cael trafferthion mawr, gallech ddysgu sillafu eich enw ac enw eich tref/pentref yn unig, ond i ddweud y gwir mae hyn yn dipyn o fenter. Efallai mai cwestiwn yn gofyn i chi sillafu enw eich chwaer gewch chi.

Teulu, ffrindiau ac anifeiliaid anwes

Bydd yr Arholwyr eisiau i chi siarad am eich teulu a'ch anifeiliaid anwes – os oes gennych chi rai.

J'ai une soeur – Mae gen i un chwaer

Os ydych chi'n sôn am fwy nag un person, defnyddiwch "s'appellent" yn lle "s'appelle".

Ma mère s'appelle Siân . = Enw fy mam ydy Siân.

Fy nhad: Mon père
Fy mrawd: Mon frère
Fy chwaer: Ma soeur
Fy modryb: Ma tante
Fy ewythr: Mon oncle
Fy nghyfnither: Ma cousine
Fy nghefnder: Mon cousin
Fy nain/mam-gu: Ma grand-mère
Fy nhaid/nhad-cu: Mon grand-père
Fy ffrind: Mon ami(e)

Y teulu cyffredin

J'ai un frère . = Mae gen i un brawd.

Er mwyn disgrifio eich perthnasau defnyddiwch y brawddegau hyn:

Elle est petite . = Mae hi'n fechan/fer.

Il a les yeux bleus . = Mae ganddo lygaid glas.

Il a douze ans. = Mae'n 12 oed.

Elle a les cheveux raides . = Mae ganddi wallt syth.

Gallwch osod y geiriau eraill sydd ar dudalen 54 yn y bocsys gwyn

Est-ce que tu as des animaux domestiques? — Oes gen ti anifeiliaid anwes?

J'ai un chien . = Mae gen i gi.

ci: un chien
cath: un chat
aderyn: un oiseau
mochyn cwta: un cochon d'Inde
cwningen: un lapin
llygoden: une souris
ceffyl: un cheval

Mon chien s'appelle Henri. = Enw fy nghi ydy Henri.

Lliwiau a meintiau ar dudalen 45 a phethau fel 'tew' a 'thenau' ar dudalen 54.

Il est jaune . = Mae'n felyn.

Gallwch roi unrhyw ansoddair yma.

Homme ou femme? – Gwrywaidd ynteu benywaidd?

Dyma fwy o waith cymhleth i'w ddysgu.

J'aime Gerald. = Rydw i'n caru Gerald.

Mae o'n caru: Il aime
Mae hi'n caru: Elle aime

Mae o: Il est
Mae hi: Elle est
dyn: un homme

Je suis une femme . = Rydw i'n ddynes.

Mae'r gwaith hwn yn eithaf syml. Rydych yn dysgu'r frawddeg, yna'n dysgu'r geiriau ac yna'n gosod y geiriau ydych chi eu hangen yn y frawddeg.

Ymhle rydych chi'n byw

Nid yw'r dudalen hon yn rhy anodd – mater o ddysgu'r brawddegau a dysgu pa eiriau allwch chi eu newid ynddynt. Os byddwch yn ymarfer digon bydd y gwaith yn hawdd.

Où est-ce que tu habites? – Ym mhle rwyt ti'n byw?

J'habite au numéro vingt-quatre, rue de Griffin, à Llanelli.

= Rydw i'n byw yn rhif 24 Stryd Griffin yn Llanelli.

Llanelli est une grande ville avec 64 000 habitants et beaucoup d'industries.

= Mae Llanelli yn ddinas gyda phoblogaeth o 64 000 a llawer o ddiwydiannau.

tref: une ville
dinas: une grande ville
pentref: un village

trigolyn: l'habitant (gwr.)

Le paysage autour de Llanelli est très beau et vert.

= Mae'r tirwedd o amgylch Llanelli yn hardd iawn ac yn wyrdd.

Chez toi – Dy gartref

Mwy am leoliad ansoddeiriau ar dudalennau 79-80

Mae gallu siarad am eich cartref yn bwysig iawn ar gyfer yr Arholiad.

J'habite une maison .

= Rydw i'n byw mewn tŷ.

fflat: un appartement

J'habite une petite maison neuve .

= Rydw i'n byw mewn tŷ bychan newydd.

mawr: grande
del: jolie

hen: ancienne
oer: froide
modern: moderne
gwyrdd: verte

Yn Ffrangeg nid ydych yn defnyddio 'dans' wrth ddweud ym mhle'r ydych yn byw. Yn llythrennol rydych chi'n dweud 'Rydw i'n byw tŷ. Mae hyn yn swnio'n rhyfedd ond mae'n GYWIR.

Lwcus!

Mon appartement se trouve près d'un parc .

= Mae fy fflat yn ymyl parc.

Fy nhŷ: Ma maison

canol y dref: du centre-ville
y draffordd: de l'autoroute (ben.)
y siopau: des magasins (gwr.)
canolfan siopa: d'un centre commercial
arhosfan bysiau: d'un arrêt d'autobus
gorsaf: d'une gare

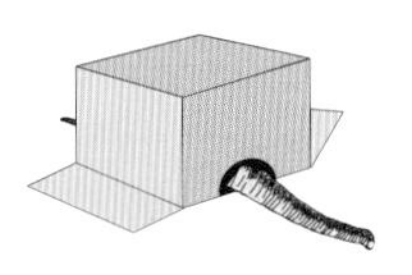

Mae'n rhaid i chi allu dweud ym mhle rydych chi'n byw. Yr unig beth sydd angen i chi ei ddweud yw "J'habite au numéro ..." ac yna rhif y tŷ, ac wedyn enw'r stryd. Mae hyn yn ddigon hawdd unwaith y byddwch wedi dysgu'r drefn.

Yn eich cartref

Mae'n rhaid i chi allu disgrifio eich tŷ. Cofiwch does dim disgwyl i chi ddisgrifio popeth sydd yno – dim ond rhai pethau.

Comment est ta maison? – Sut dŷ sydd gen ti?

P'un ai ydych chi angen holi ble mae ystafelloedd yng nghartref eich ffrind llythyru ai peidio, bydd disgwyl i chi fedru holi ar gyfer yr Arholiad. Er mwyn gwneud y cwestiwn cyntaf ychydig yn fwy cwrtais ychwanegwch 's'il vous plaît' ar y diwedd.

Où est la cuisine ? = Ym mhle mae'r gegin?

Comment est la cuisine ? = Sut un ydy'r gegin?

yr ystafell fyw: le salon
yr ystafell ymolchi: la salle de bains
yr ystafell fwyta: la salle à manger
yr ystafell wely: la chambre

bach/bychan: petit(e)
bach iawn: tout petit(e)

Est-ce que la cuisine est grande ? = Ydy'r gegin yn fawr?

Dysgwch y geiriau am y pethau sydd yn eich ystafell wely a chofiwch, os nad oes gennych yr un o'r pethau hyn, mae'n bosibl i chi ddweud celwydd cyhyd â bod yr eirfa yn gywir.

Quels meubles est-ce qu'il y a dans ta chambre ? = Pa ddodrefn sydd gen ti yn dy ystafell wely?

Dans ma chambre, il y a un lit, deux chaises et une petite table. = Yn fy ystafell wely mae 'na wely, dwy gadair a bwrdd bychan.

Les murs sont violets. = Mae'r waliau yn biws.

cadair freichiau: un fauteuil
soffa: un canapé
lamp: une lampe
bwrdd: une table
silff: une étagère

cadair: une chaise
drych: un miroir
gwely: un lit
gwely dwbl: un grand lit
wal: un mur

wardrob: une armoire
cwpwrdd: un placard
llenni/cyrtens: des rideaux (gwr.)
carped: un tapis
carped gosod: une moquette

Lliwiau ar dudalen 45

Est-ce que tu as un jardin? – Oes gen ti ardd?

Mwy o bethau fydd yn eich helpu i wneud yn wirioneddol dda yn yr Arholiad ...

Ma maison a un jardin. = Mae gardd gyda fy nhŷ.

Fy fflat: Mon appartement

Nous avons des fleurs dans notre jardin. = Mae gennym ni flodau yn ein gardd.

coeden: un arbre
lawnt: une pelouse

Mae'r rhain i gyd yn bethau y gallant eu gofyn i chi yn yr Arholiad. Dechreuwch drwy ddysgu ychydig o enwau dodrefn sydd yn eich ystafell wely – ond gofalwch eich bod yn deall y geiriau i gyd os ydych yn eu darllen neu'n eu clywed.

Gwaith tŷ ac arferion y cartref

Mae'r Arholwyr bob amser yn meddwl fod angen i chi wybod sut i ofyn i'r ffrind llythyru pryd mae o/hi yn cael ei swper.

Quand est-ce qu'on mange ...? – Pryd ydych chi'n bwyta ...?

Mae prydau bwyd yn bwysig – ar gyfer yr Arholiadau hefyd. Felly dechreuwch ddysgu'r ymadroddion hyn.

Quand est-ce qu'on mange le dîner ? = Pryd ydych chi'n bwyta swper?

wyt ti'n bwyta (unigol anffurfiol): est-ce que tu manges
ydych chi'n bwyta (ffurfiol a lluosog): est-ce que vous mangez

brecwast: le petit déjeuner
cinio: le déjeuner

Nous mangeons le dîner à sept heures. = Rydym ni'n bwyta swper am saith o'r gloch.

Mwy o amserau ar dudalen 2.

Est-ce que tu dois aider à la maison? – Wyt ti'n gorfod helpu gartref?

Hyd yn oed os nad ydych chi byth yn helpu i wneud gwaith tŷ gartref – dysgwch y geiriau hyn.

Je fais la vaisselle à la maison. = Rydw i'n golchi llestri gartref.

Rydw i'n tacluso f'ystafell: Je range ma chambre
Rydw i'n gwneud fy ngwely: Je fais mon lit
Rydw i'n hwfro: Je passe l'aspirateur

Je dois faire la vaisselle . = Rydw i'n gorfod golchi llestri.

hwfro: passer l'aspirateur
glanhau: nettoyer
clirio'r bwrdd: débarrasser la table
gosod y bwrdd: mettre la table

Tu as besoin de quelque chose? – Wyt ti angen rhywbeth?

Maen nhw'n debygol o'ch cael chi i ofyn am bethau yn yr Arholiad. Mae'r rhain yn frawddegau hawdd – felly does gennych ddim esgus. Cofiwch ddefnyddio'r ffurf 'vous' ffurfiol os ydych yn gofyn i rywun hŷn na chi.

Est-ce que je peux prendre une douche ? = Gaf fi gymryd cawod?

bath: un bain

Est-ce que je peux avoir du dentifrice ? = Gaf fi bast dannedd?

Oes gen ti: Est-ce que tu as

tywel: une serviette
sebon: du savon

Avez-vous du dentifrice ? = Oes gennych chi bast dannedd?

Efallai nad ydych yn gweld y gwaith hwn am dasgau yn y tŷ yn ddiddorol iawn, ond nid yw'n anodd mewn gwirionedd. Dysgwch y geiriau ar eich cof a bydd popeth yn iawn.

Gwaith tŷ ac arferion y cartref

Dysgwch gynnig golchi llestri yn Ffrangeg!

Est-ce que je peux vous aider? — Allaf fi eich helpu?

Dyma sut y mae cynnig helpu pan fyddwch yn aros gyda rhywun.

Mwy o eirfa ar dudalen 58

Est-ce que je peux faire la vaisselle ? = Allaf i olchi llestri?

hwfro: passer l'aspirateur
clirio'r bwrdd: débarrasser la table

Neu i gael mwy o farciau 'Voudriez-vous que je fasse la vaisselle?' (Fyddech chi'n hoffi i mi olchi'r llestri?)

Ta, cariad

Qui fait quoi? – Pwy sy'n gwneud beth?

Papa fait la vaisselle . = Mae Dad yn golchi llestri.

golchi llestri: fait la vaisselle
glanhau: nettoie
hwfro: passe l'aspirateur
gosod y bwrdd: met la table

Ma soeur Ceri passe l'aspirateur chaque jour . = Mae fy chwaer Ceri yn hwfro bob dydd.

bob wythnos: chaque semaine

Mwy am amseroedd ar dudalen 2-3

Personne ne fait la vaisselle chez nous, parce que nous avons un lave-vaisselle . = Does neb yn golchi llestri yn ein tŷ ni oherwydd mae gennym beiriant golchi llestri.

Est-ce que tu as une chambre à toi? — Oes gen ti ystafell i ti dy hun?

Byddwch yn ennill mwy o farciau os gallwch ddweud y brawddegau isod.

J'ai une chambre à moi. = Mae gen i f'ystafell fy hun.

Je partage une chambre avec mon frère . = Rydw i'n rhannu ystafell gyda'm brawd.

Peidiwch â gadael i'r holl ramadeg yma eich dychryn. Os dysgwch sut i ddweud yr holl bethau hyn yn iawn byddwch yn gwneud yn llawer gwell yn yr Arholiad ac yn gallu ateb y cwestiynau.

Rhannau'r corff

Le corps – y corff

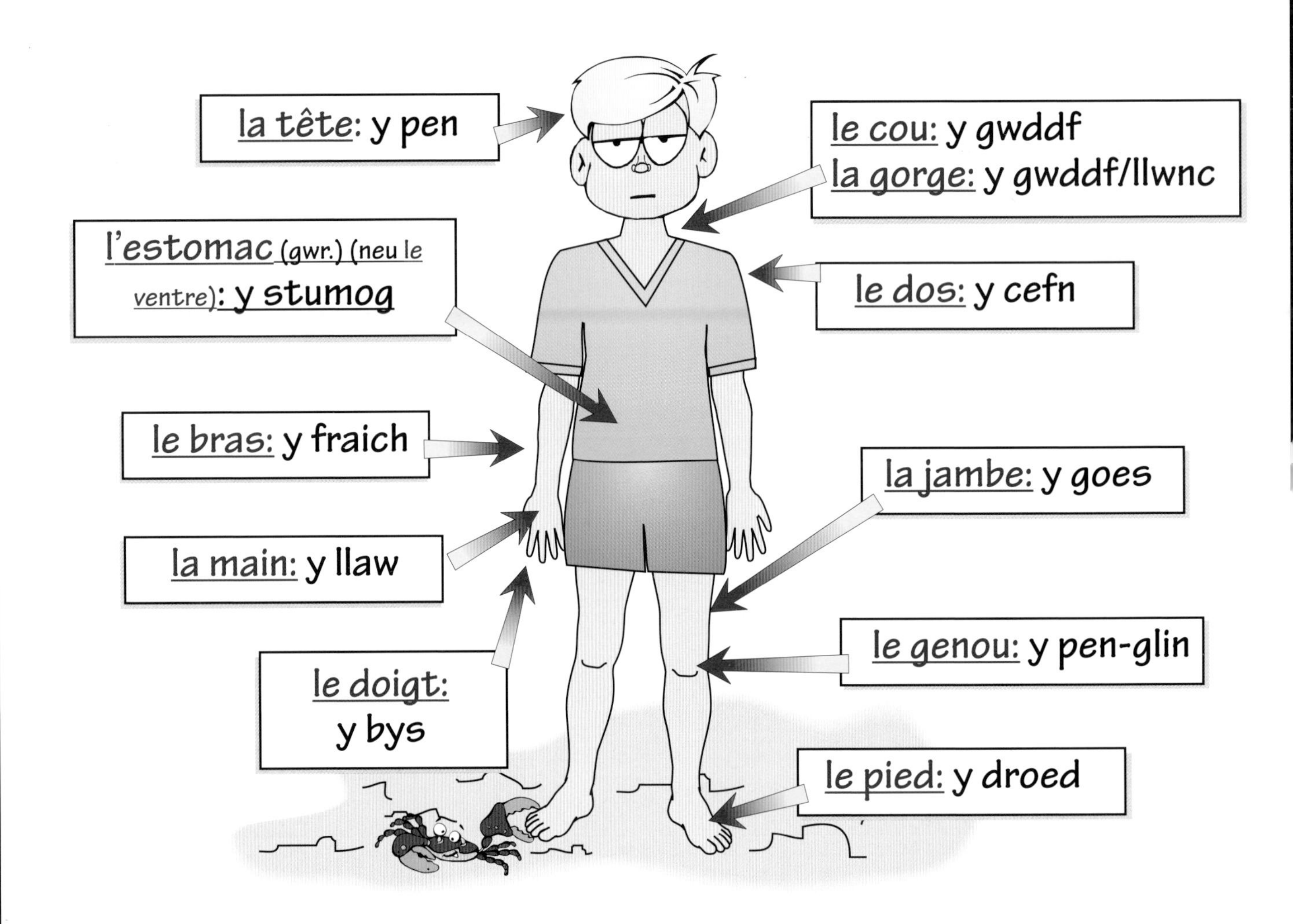

La tête – Y pen

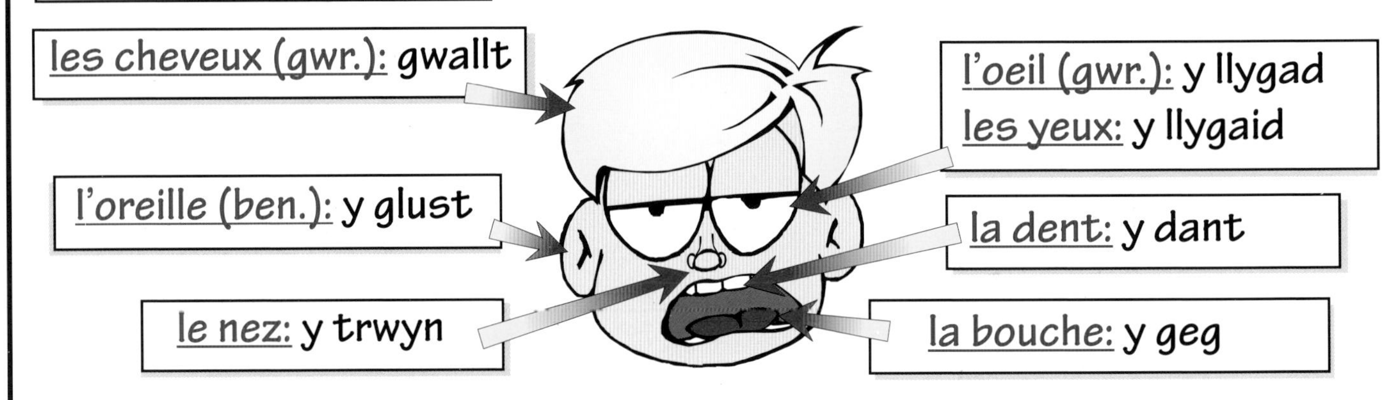

Mae'r gwaith hwn yn ddigon hawdd – dysgwch y geiriau! Darllenwch y geiriau, cuddiwch y dudalen a cheisiwch eu hysgrifennu. Daliwch ati i wneud hyn nes byddwch yn llwyddo.

Mynd at y meddyg neu i'r fferyllfa

Poen, salwch a dioddefaint – mae'r Arholwyr yn hoff iawn o bethau felly.

Comment ça va? – Sut mae?

Mae hwn yn gwestiwn pwysig. Pan fyddwch yn mynd i'r Arholiad Siarad bydd yn rhaid i chi wybod sut i'w ateb.

Je suis malade . = Rydw i'n sâl/wael.

blinedig: fatigué(e)

Je me sens malade . = Rydw i'n teimlo'n sâl/wael.

J'ai chaud . = Rydw i'n boeth.

oer: froid
eisiau diod/sychedig: soif
eisiau bwyd: faim

Je dois aller voir le médecin . = Mae'n rhaid i mi fynd i weld y meddyg.

i'r ysbyty: à l'hôpital
i'r fferyllfa: à la pharmacie

Où as-tu mal? – Beth sy'n brifo?

Dyma sut yr ydych yn dweud pa ran sy'n brifo. Mae rhannau'r corff i gyd ar y dudalen flaenorol.

Mon doigt me fait mal. = Mae fy mys yn brifo.

yn brifo (lluosog): font

Fy mhen: Ma tête
Fy nghlustiau: Mes oreilles

Defnyddiwch 'mal à ...' i ddweud ym mhle mae'r boen

Gallwch ddefnyddio 'j'ai mal à' ar gyfer unrhyw ran o'r corff sy'n brifo.

J'ai mal à l'estomac . = Mae gen i boen yn fy stumog.

cur pen: mal à la tête
dolur gwddw: mal à la gorge
tymheredd: de la fièvre
ffliw: la grippe

Defnyddiwch 'au' gyda geiriau 'le', 'à la' gyda geiriau 'la', 'à l'' gyda geiriau sy'n cychwyn â llafariad neu 'h' ac 'aux' ar gyfer y lluosog

Je suis enrhumé(e). = Mae gen i annwyd.

J'ai mal aux oreilles . = Mae gen i bigyn clust/Mae fy nghlustiau'n brifo.

Rhowch unrhyw ran o'r corff sydd ar dudalen 60 yma ond gofalwch eich bod yn defnyddio ffurf gywir 'à'.

Os na fyddwch yn gwybod sut i ddweud enw salwch arbennig yn yr Arholiad gallwch ddefnyddio 'mal à' gyda'r rhan o'r corff sydd dan sylw. Rydych yn gwybod y drefn erbyn hyn ar gyfer dysgu geiriau: cuddio'r dudalen, ysgrifennu'r geiriau a gwirio ... nes byddwch yn llwyddo.

Sgwrsio'n gwrtais

Yn yr Arholiad Siarad mae'n hynod bwysig eich bod yn gwybod sut i gyfarch pobl mewn ffordd ddymunol.

Bonjour! Comment ça va? – Helo! Sut ydych chi?

Helo/Bore da: Bonjour
Noswaith dda: Bonsoir
Sut ydych chi?: Ça va?
Helo (wrth ddyn): Bonjour monsieur
Helo (wrth ddynes): Bonjour madame

Helo/S'mae?: Salut
Hwyl fawr: Au revoir

Er mwyn ymateb i 'Bonjour' dywedwch 'Bonjour' yn ôl. Gwnewch yr un peth gyda 'Bonsoir'.

Ça va bien , merci. = (Rydw i'n) iawn diolch.

Gallech ddweud 'Bien, merci' yn unig. (fodd bynnag byddwch yn cael mwy o farciau am yr ymadrodd yn llawn).

Ddim yn dda: Ça ne va pas bien
Ddim yn ddrwg: Pas mal
Ardderchog: Super
Iawn: Comme ci comme ça

Os nad ydych yn teimlo'n dda ac eisiau egluro pam – gweler tudalen 61

Puis-je vous présenter Nicole – Gaf fi gyflwyno Nicole i chi?

Mae'r rhain i gyd yn ddefnyddiol ar gyfer yr Arholiad Siarad.

Voici Nicole . = Dyma Nicole.

Enchanté(e). = Falch o'ch cyfarfod chi.

Entre. Assieds-toi. = Tyrd i mewn. Eistedda.

Entrez. Asseyez-vous. = Dewch i mewn. Eisteddwch.

Merci bien . C'est très gentil. = Diolch yn fawr. Rydych chi'n garedig iawn.

Defnyddiwch 'je m'excuse' i ddweud ei bod yn ddrwg gennych

Mwy o ymadroddion cwrtais. Mae'n hanfodol eich bod yn gwybod sut i ymddiheuro, oherwydd bydd arnoch angen gwneud hyn yn yr Arholiadau.

Est-ce que je peux m'asseoir ? = Gaf fi eistedd i lawr?

mynd i'r tŷ bach: aller aux toilettes
cael rhywbeth i'w yfed: avoir quelque chose à boire

Je m'excuse. = Mae'n ddrwg gen i.

Je suis désolé(e). = Mae'n wir ddrwg gen i.

Ychwanegwch 'e' yma os ydych chi'n ferch.

Efallai eich bod yn gweld y gwaith hwn ychydig yn ddiflas – ond mae'n werth ei ddysgu oherwydd bydd yn sicr o wella eich marciau.

Pethau anodd

Crynodeb adolygu

Er mwyn sicrhau eich bod wedi dysgu'r gwaith mae angen i chi ateb y cwestiynau, mynd yn ôl drwy'r adran i fynd dros y rhai oedd yn peri trafferth i chi ac yna rhoi cynnig arall arni. Yn y diwedd dylech fedru ateb yr holl gwestiynau yn rhwydd.

1) Cwestiwn hawdd i ddechrau. Dywedwch beth yw eich enw, faint yw eich oed a phryd mae eich pen-blwydd wrth rywun rydych chi newydd ei gyfarfod.

2) Disgrifiwch dri o'ch ffrindiau a dywedwch faint yw eu hoed. Sillafwch eu henwau yn uchel ac enwau'r trefi/pentrefi lle maen nhw'n byw.

3) Dywedwch wrth eich ffrind llythyru faint o berthnasau sydd gennych chi – yn cynnwys sawl modryb, cyfnither, cefnder, ac ati.

4) Mae gan eich ffrind sy'n hoffi anifeiliaid chwech o gwningod, aderyn, mochyn cwta a dwy gath. Sut fydd hi'n dweud pa anifeiliad sydd ganddi yn ei Arholiad Siarad Ffrangeg?

5) Dywedwch eich cyfeiriad a disgrifiwch lle rydych chi'n byw. Ai tref neu bentref ydyw? Ydy'r tirwedd yn hardd? Faint o bobl sy'n byw yno?

6) Mae Marie-Françoise yn byw mewn tŷ mawr gyda gardd. Mae'n agos at ganolfan siopa, arhosfan bysiau a thraffordd. Sut fyddech chi'n dweud hyn yn Ffrangeg?

7) Rhowch enwau'r ystafelloedd yn eich tŷ a dywedwch sawl ystafell wely sydd yno. Dywedwch a oes gennych ardd a beth sydd ynddi (blodau, glaswellt ynteu coed).

8) Mae gan Twm waliau coch a charped brown yn ei ystafell wely. Mae ganddo wely, dwy lamp, wardrob a chwpwrdd. Does ganddo ddim soffa. Sut fyddai o'n dweud hyn i gyd yn Ffrangeg?

9) Disgrifiwch eich ystafell wely mor fanwl ag sydd bosibl.

10) Rydych yn disgrifio'ch bywyd gartref wrth y teulu sy'n eich croesawu. Dywedwch eich bod yn gwneud eich gwely ac weithiau eich bod yn hwfro a glanhau'r tŷ. Rydych yn cael brecwast am 8 o'r gloch a chinio am 1 o'r gloch.

11) Rydych chi'n aros gyda theulu o Ffrainc ac rydych chi newydd orffen bwyta. Gofynnwch iddyn nhw a gewch chi eu helpu i glirio.

12) Gofynnwch a gewch chi fath ac a oes ganddyn nhw dywel i chi.

13) Mae gan Cécile ei hystafell ei hun ond mae Robert yn rhannu ystafell gyda'i frawd Xavier. Sut fydden nhw'n dweud hyn yn Ffrangeg?

14) Tynnwch lun dyn matsys a labelwch ef gan enwi gymaint o rannau o'r corff ag y gallwch.

15) Sut fyddech chi'n dweud fod pob un o'r canlynol arnoch yn Ffrangeg?
a) poen yn y stumog b) cur pen c) annwyd ch) ffliw

16) Dywedwch fod yn rhaid i chi fynd i'r fferyllfa.

17) Rydych chi'n cael eich cyflwyno i ymwelydd o Ffrainc. Dywedwch 'Bore da, sut ydych chi?' Pan fydd yn holi sut ydych chi, dywedwch eich bod yn dda iawn diolch a'ch bod yn falch o'i gyfarfod.

18) Gofynnwch a gewch chi rywbeth i'w yfed – a dywedwch diolch yn fawr

Ffonio

Mae'n rhaid i chi wybod beth i'w ddweud pan fyddwch yn ffonio rhywun. Rhaid i chi wybod sut i ateb y ffôn a sut i gymryd neges. Mae galwadau ffôn yn ymddangos o hyd mewn arholiadau – felly dysgwch y gwaith.

Un coup de téléphone – Galwad ffôn

Mae hon yn ffordd hawdd o ennill marciau.

Defnyddiwch hyn os ydych yn adnabod yr unigolyn yn dda.

Os bydd angen bod yn fwy ffurfiol defnyddiwch *votre*

Quel est ton numéro de téléphone? = Beth ydy dy rif ffôn?

Mon numéro de téléphone est vingt-huit, dix-neuf, cinquante-six. = Fy rhif ffôn i ydy 281956.

Rhowch eich rhif ffôn yma – mewn grwpiau o 2, h.y. 'dau ddeg wyth' yn hytrach na 'dau wyth'.

Rhifau i gyd ar dudalen 1

Pan fyddwch yn ateb y ffôn, dywedwch 'ici Bob' – 'Bob yn siarad'

Os ydych chi eisiau llwyddo yn yr Arholiad Siarad gyda sgyrsiau ffôn, mae angen i chi ddysgu'r canlynol. Peidiwch â bod yn swil – y ffordd orau o ymarfer yw dweud y cwbl yn uchel.

Pan fyddwch yn ateb y ffôn dywedwch: *Allô! C'est Rheinallt à l'appareil.* = Helo! Rheinallt yn siarad.

Rhowch eich enw yma.

Defnyddiwch y canlynol pan fyddwch chi yn ffonio rhywun:

Allô — ici Bethan. = Helo! Bethan yn siarad.

Est-ce que Jeanne est là? = Ydy Jeanne yna?

Est-ce que je peux parler à Jeanne? = Gaf fi siarad gyda Jeanne?

Je voudrais laisser un message – Hoffwn i adael neges

Mae'n rhaid i chi allu gadael negeseuon ffôn, a'u deall hefyd.
Dyma neges ffôn arferol:

Allô, ici Nicole. Mon numéro de téléphone est cinquante-neuf, dix-huit, quarante-sept. Est-ce que Jean-Claude peut me rappeler à dix-neuf heures? Merci. Au revoir.

- *Helo, Nicole yn siarad.*
- Rhowch eich enw yma.
- Rhowch eich rhif ffôn yma.
- *Fy rhif ffôn ydy 59 18 47.*
- Dyma'r person rydych chi eisiau iddo eich ffonio'n ôl.
- *Allai Jean-Claude fy ffonio'n ôl am 7 o'r gloch heno?*
- Dyma pryd ydych chi eisiau i'r person eich ffonio.
- *Diolch, Hwyl fawr.*

Pethau anodd

La cabine de téléphone – Ciosg ffonio

Vous avez de la monnaie pour le téléphone? = Oes gennych chi newid ar gyfer y ffôn?

Cofiwch fod sgyrsiau ffôn yn ymddangos yn rheolaidd yn yr Arholiad Siarad a bydd dysgu'r gwaith hwn yn rhoi siawns ardderchog i chi.

Swyddfa'r post

Mae'r Arholwyr yn meddwl bod stampiau a llythyrau a phethau felly yn bwysig – felly dysgwch bopeth amdanynt.

Où est la poste? – Ble mae'r Swyddfa Bost?

Hyd yn oed os na fyddwch chi byth yn debygol o anfon llythyr o Ffrainc, mae'n rhaid i chi DDYSGU'R YMADRODDION HYN ar gyfer yr Arholiadau.

Où est la boîte aux lettres, s'il vous plaît? = Ble mae'r blwch llythyrau os gwelwch yn dda?

Est-ce qu'il y a une boîte aux lettres près d'ici? = A oes blwch llythyrau yn ymyl?

Monsieur Victor Hugo
Place de Notre Dame
Paris
France

Est-ce que vous avez des timbres? = Oes gennych chi stampiau?

Mae 'la lettre' yn golygu llythyr.

Combien coûtent les timbres? = Faint mae'r stampiau'n gostio?

Je voudrais envoyer une lettre – Buaswn i'n hoffi anfon llythyr

Mae'r canlynol ychydig yn fwy cymhleth. Peidiwch â dychryn. Dysgwch yr holl ymadroddion a'r geiriau y gallwch eu newid ynddynt – yna bydd y gwaith yn llawer haws.

Combien ça coûte pour envoyer une lettre au pays de Galles? = Faint mae'n gostio i anfon llythyr i Gymru?

parsel: un paquet
cerdyn post: une carte postale

Gallwch roi unrhyw wlad o'r rhestr ar dudalen 13 yma yn lle Cymru.

Combien ça coûte pour envoyer une lettre en France? = Faint fyddai'n gostio i anfon llythyr i Ffrainc?

Je voudrais envoyer une carte postale en Angleterre. = Hoffwn i anfon cerdyn post i Loegr.

parsel: un paquet
llythyr: une lettre

Os ydych chi eisiau anfon mwy nag un eitem, newidiwch y geiriau yn y bocs gwyn. Gallech roi rhywbeth fel 'deux lettres et trois cartes postales'.

Y ffordd orau i beidio â dychryn pan fydd y gwaith yn dod ychydig yn fwy anodd yw drwy ddysgu rhai o'r ymadroddion allweddol a sut i'w haddasu ar gyfer y sefyllfa.

Llythyrau anffurfiol

Byddwch yn sicr o orfod ysgrifennu llythyr yn Ffrangeg yn yr Arholiad.

Dechreuwch y llythyr â'r geiriau 'Cher Jean' – 'Annwyl Jean'

Dysgwch sut mae gosod llythyrau a sut i ddweud 'Annwyl ....' ac yn y blaen. Mae hyn yn hanfodol. Er mai llythyr byr yw hwn, mae'n dangos i chi sut mae cychwyn a chloi yn gywir a lle dylid rhoi'r dyddiad.

Meifod, le 5 mars

Cher Jean,

Merci de ta lettre.

J'étais très content de recevoir tes nouvelles.

Amitiés,

Albert

Rhowch enw'r lle'r ydych chi'n byw a'r dyddiad yma. Dyddiadau ar dudalen 3.

Mae hyn yn golygu 'Annwyl Jean'. Os ydych yn ysgrifennu at wraig neu ferch, dylech roi 'Chère' yn lle 'Cher'.

Golyga hyn: 'Diolch am dy lythyr'.

Mae'r ddau hyn yn ymadroddion da iawn i'w defnyddio mewn llythyrau.

Cofiwch ychwanegu 'e' at 'content' os ydych chi'n ferch.

Golyga hyn: 'Roeddwn i'n falch iawn o glywed gennyt'.

Cofion gorau.

Defnyddiwch y brawddegau hyn yn eich llythyrau

Dyma ymadrodd bychan y gallwch ei ddefnyddio ar ddechrau pob llythyr anffurfiol.

Ça va? = Sut mae pethau?

Gallwch ddefnyddio hwn i ddechrau llythyr, yn union ar ôl 'Annwyl ......'

Yn union cyn i chi gloi'r llythyr efallai yr hoffech chi gynnwys y frawddeg hon.

J'espère recevoir bientôt de tes nouvelles. = Rydw i'n gobeithio clywed gen ti'n fuan.

Peidiwch â dychryn os byddwch yn gorfod ysgrifennu cerdyn post – gwnewch yn union yr un fath ag mewn llythyr byr.

Ffordd arall o ddiweddu → *Hwyl fawr am y tro*: A bientôt.

Mae'r gwaith hwn yn eithaf hawdd. Gofalwch eich bod yn gwybod yr ymadroddion ystrydebol yn iawn ac yna bydd eich llythyr yn swnio'n Ffrengig iawn. Mae canol y llythyr yn union fel llythyr yn y Gymraeg.

Llythyrau ffurfiol

Disgwylir i chi allu ysgrifennu llythyr ffurfiol hefyd. Fel arfer byddant eisiau i chi ysgrifennu llythyr i archebu ystafell mewn gwesty. Mwy o eirfa gwesty ar dudalen 14.

Rhowch eich enw a'ch cyfeiriad ar ben y llythyr.

Rhowch eich enw chi a'ch cyfeiriad i fyny yma.

Rhowch hyn os nad ydych yn gwybod enw na rhyw yr unigolyn. Os ydych chi'n gwybod mai at Monsieur Claude Terrier yr ydych yn ysgrifennu rhowch hynny uwchben ei gyfeiriad ac ysgrifennwch 'Monsieur' yma.

Ystyr hyn i gyd yw:
Hoffwn i archebu tair ystafell yn eich gwesty o'r 4ydd - 18fed Mehefin, yn gynwysedig. Buasem yn hoffi ystafell ddwbl a dwy ystafell sengl. Allech chi roi gwybod i ni a oes gennych ystafelloedd gwag os gwelwch yn dda yn ogystal â'u prisiau, a hynny cynted ag sydd bosibl.

Aleesha Thompson
16 Rusland Drive
Manchester
M14 7QB
Grande-Bretagne

Hôtel Saint Michel
16, Rue des Papillons
Calais
France
le 20 avril 2000

Monsieur / Madame,

Je voudrais réserver trois chambres chez vous, du quatre au dix-huit juin compris. Nous voudrions une chambre pour deux personnes et deux chambres individuelles. Je vous prie de bien vouloir me renseigner aussitôt que possible si vous avez des chambres libres et combien elles nous coûteront.

Je vous prie d'agréer l'expression de mes sentiments distingués.

A Thompson

Aleesha Thompson

Mae enw a chyfeiriad yr unigolyn yr ydych yn ysgrifennu ato yn cael ei roi yma.

Rhowch y dyddiad yma.

Yr eiddoch yn gywir

Dysgwch y ffyrdd hyn o gloi llythyr

Mae'r diwedd gosod hwn yn eithaf hir yn anffodus – dysgwch ef ar eich cof a'i ddefnyddio.

Je vous prie d'agréer, Monsieur , l'expression de mes sentiments distingués.

ar gyfer gwraig: Madame

= Yr eiddoch yn gywir/yn gywir

Brawddeg ddefnyddiol arall: *Je vous remercie d'avance.* = Diolch yn fawr ymlaen llaw.

Defnyddiwch 's'excuser' i ymddiheuro

Mae'n bosibl y gofynnir i chi ymddiheuro am adael bag neu ryw ddilledyn mewn gwesty. Dysgwch y frawddeg hon a rhowch yr eitem yr ydych wedi ei anghofio yn y darn gwyn.

Je voudrais m'excuser d'avoir laissé un sac dans votre hôtel.

= Hoffwn ymddiheuro am adael bag yn eich gwesty

Rydym yn ymwybodol fod dysgu strwythur ysgrifennu llythyrau yn golygu cryn ymdrech. Ac mae llythyrau Ffrangeg ffurfiol yn defnyddio ymadroddion gosod cwrtais yn union fel llythyrau Cymraeg. Mae'n hanfodol eich bod yn gwybod pa ymadroddion i'w defnyddio wrth ddechrau ac wrth gloi llythyrau. Dechreuwch ymarfer ysgrifennu llythyrau.

Crynodeb Adolygu

Er bod yr Adran hon yn un fer mae'r gwaith yr un mor hanfodol â'r gwaith yng ngweddill yr adrannau. Dyma'r cwestiynau adolygu arferol. Bydd yn rhaid i chi ysgrifennu llythyrau yn yr Arholiad a bydd rhaid dysgu'r ymadroddion gosod – felly manteisiwch ar y cyfle hwn i ymarfer.

1) Quel est ton numéro de téléphone? *(Peidiwch â thwyllo – ysgrifennwch y cwbl yn Ffrangeg)*
2) Beth ddylech chi ei ddweud wrth ateb y ffôn mewn Ffrangeg?
3) Mae ffrind eich brawd yn ffonio. Ysgrifennwch neges yn Ffrangeg i'ch brawd, yn dweud na all ei ffrind fynd allan heno.
4) Mae Colin yn ffonio'i ffrind Pierre ac yn siarad â'i fam. Nid yw Pierre gartref, ond mae ei fam yn dweud y bydd hi'n dweud wrtho bod Colin wedi ffonio. Ysgrifennwch y sgwrs mewn Ffrangeg.
5) Sut fyddech chi'n gofyn i rywun a oes ganddo newid ar gyfer y ffôn?
6) Gofynnwch yn y Swyddfa Bost a oes ganddynt stampiau ar gyfer Cymru.
7) Mae gennych 4 cerdyn post a thri llythyr ac rydych chi eisiau eu hanfon i Gymru. Dywedwch hyn wrth y postfeistr a gofynnwch faint mae'n gostio?
8) Rydych chi mewn stryd yn Ffrainc ac rydych chi eisiau postio llythyr. Sut fyddech chi'n gofyn i rywun a oes blwch llythyrau yn ymyl? (Ceisiwch feddwl am ddwy ffordd o ddweud hyn).
9) Ysgrifennwch lythyr at eich ffrind, Marie-Claire. Ysgrifennwch eich cyfeiriad, dywedwch helo a chyfeiriwch at rywbeth wnaethoch chi'r wythnos ddiwethaf.
10) Byddech chi'n hoffi clywed ganddi'n fuan – sut fyddech chi'n dweud hynny yn eich llythyr?
11) Ysgrifennwch un ffordd o gloi llythyr.
12) Byddech chi'n hoffi archebu 3 ystafell sengl mewn gwesty ym Mharis. Ysgrifennwch lythyr yn Ffrangeg i: Hôtel Bernac, 3 Chemin des Princesses, 16100 Paris.
13) Sut fyddech chi'n gorffen llythyr ffurfiol yn Ffrangeg?
14) Beth yw ystyr y frawddeg hon: 'Je vous remercie d'avance'? Mewn pa fath o lythyr fyddech chi'n gweld hyn, llythyr ffurfiol ynteu llythyr anffurfiol?
15) Rydych chi wedi gadael cês dillad yn eich ystafell mewn gwesty. Beth fyddech chi'n ei ysgrifennu mewn llythyr at staff y gwesty er mwyn ymddiheuro?

Profiad gwaith a chyfweliadau

Mae'r ddwy dudalen hyn yn eich annog i feddwl yn fwy manwl am eich dyfodol. Os nad oes gennych syniad beth fyddwch chi'n ei wneud yn y dyfodol defnyddiwch ychydig ar eich dychymyg.

Où as-tu fait ton stage en entreprise?

= Ym mhle wnest ti dy brofiad gwaith?

Mae profiad gwaith yn beth defnyddiol iawn ac yn eich helpu i benderfynu pa swydd ydych chi eisiau ei gwneud/neu nad ydych chi eisiau ei gwneud.

J'ai fait mon stage en entreprise chez Peugeot .

= Fe wnes i fy mhrofiad gwaith yng nghwmni Peugeot.

profiad gwaith: mon stage

enw neu ddisgrifiad o'r cwmni

J'y ai travaillé pendant une semaine et demie.

= Fe fûm i'n gweithio yno am wythnos a hanner.

Est-ce que tu as aimé le travail? Parle-moi de ce que tu as fait.

Mae angen mynegi barn yma. Wnaethoch chi fwynhau'r profiad ai peidio?

= Wnest ti fwynhau'r gwaith? Dywed beth wnaethost ti.

Le travail était amusant .

= Roedd y gwaith yn hwyl.

yn achosi straen; stressant
diddorol: intéressant

cyfforddus: confortable
yn y cartref: à la maison
unig: isolé(e)

Je me suis senti(e) seul(e) .

= Roeddwn i'n teimlo'n unig.

yn gyfeillgar iawn: étaient très sympathiques
yn ddiddorol: étaient intéressants

Mes collègues de travail n'étaient pas sympathiques .

= Roedd fy nghydweithwyr yn anghyfeillgar.

Qu'est-ce que tu veux faire à l'avenir?

= Beth wyt ti eisiau ei wneud yn y dyfodol?

Efallai nad ydych erioed wedi gwneud cais am swydd ond mae'n debygol iawn y bydd yn rhaid i chi wneud ryw ddiwrnod. Ac efallai y bydd chwarae rôl cyfweliad am swydd yn eich arholiad siarad.

Dans mon travail, je voudrais résoudre des problèmes .

= Yn fy swydd, hoffwn i ddatrys problemau.

cyfarfod pobl newydd: rencontrer des gens nouveaux
gweithio â ffigurau: travailler sur des chiffres
helpu pobl: aider les gens

Mwy o fathau o swyddi ar dudalen 32, neu chwiliwch am swydd yn y geiriadur.

J'espère devenir agent de voyage .

= Rydw i'n gobeithio bod yn drefnwr/wraig teithiau.

Os nad ydych wedi bod ar brofiad gwaith dylech ddysgu sut mae dweud hynny yn Ffrangeg ar gyfer yr Arholiad.

'Gwerthu'ch hun' mewn cyfweliadau

Yn yr Arholiadau TGAU byddant yn cyfeirio atoch yn aml yn anffurfiol, h.y. byddwch yn cael eich galw'n 'ti' yn hytrach na 'chi'. Mewn cyfweliad byddech chi bob amser yn cael eich galw'n 'vous' felly dylech arfer â hyn.

Des questions pour un entretien – Cwestiynau cyfweliad

Ar y dudalen hon ceir enghreifftiau o atebion i'r cwestiynau sylfaenol y gallech chi eu disgwyl mewn cyfweliad am swydd. Nid oes raid i chi ddysgu'r brawddegau arbennig hyn fel poli parot. Yn hytrach paratowch atebion sy'n addas i chi'n benodol.

Comment vous appelez-vous? = Beth yw eich enw chi?

Quel âge avez-vous? = Faint yw eich oed chi?

Quel poste vous intéresse?

= Ym mha swydd mae gennych chi ddiddordeb?

J'aimerais travailler comme assistante à l'Office de Tourisme d'Avignon. = Hoffwn i weithio fel cynorthwywraig yng nghanolfan groeso Avignon.

Pourquoi voulez-vous ce travail?

= Pam ydych chi eisiau'r swydd hon?

Je m'interéssé(e) au tourisme. = Mae gen i ddiddordeb mewn twristiaeth.

J'aimerais améliorer mon français. = Hoffwn i wella fy Ffrangeg.

cymwysterau: les qualifications (b) *cyfrifol:* responsable

J'ai l'expérience nécessaire, je suis flexible et raisonnable. = Mae gen i'r profiad angenrheidiol, rydw i'n hyblyg ac yn synhwyrol.

Qu'est-ce que vous avez fait au collège?

= Beth wnaethoch chi yn yr ysgol?

Je suis allé(e) au collège à Porthmadog. = Fe es i'r ysgol uwchradd ym Mhorthmadog.

Mes matières préférées au collège étaient l'allemand et le français. = Fy hoff bynciau yn yr ysgol oedd Almaeneg a Ffrangeg.

Quels sont vos intérêts?

= Beth yw eich diddordebau?

L'architecture me fascine. = Mae gen i ddiddordeb mawr iawn mewn pensaernïaeth.

J'aime voyager à l'étranger. = Rydw i'n hoffi teithio dramor.

Rydych yn gyfarwydd â'r rhan fwyaf o'r gwaith hwn ond dylech ddod i arfer ei ddefnyddio yn y cyd-destun hwn.

Yr amgylchedd

Pan fydd pynciau difrifol fel 'yr amgylchedd' yn codi yn yr Arholiad disgwylir i chi fynegi barn. Mae'n gyfle i chi ddweud neu ysgrifennu'r hyn rydych chi'n ei feddwl am rywbeth real a phwysig.

Est-ce que l'environnement est important pour toi?

A yw'r amgylchedd yn bwysig i ti?

Mae'n rhaid defnyddio 'ydy' neu 'nac ydy' wrth ateb cwestiwn fel hwn.

... cofiwch wrando am hyn yn gyntaf bob tro mewn arholiad gwrando

... yna ceisiwch ddeall beth yw'r rheswm.

Non, ça ne m'intéresse pas du tout.

= Nac ydy, does gen i ddim diddordeb o gwbl yn hynny.

Oui, je pense que l'environnement est très important.

=Ydy, rydw i'n meddwl fod yr amgylchedd yn bwysig iawn.

Os gofynnir i chi fynegi eich barn bersonol ar gwestiwn fel hwn, dechreuwch drwy ddweud 'ie' neu 'na' ac yna eglurwch pam. Wrth gwrs bydd y ffaith eich bod wedi paratoi ateb ymlaen llaw yn help mawr.

Mynegi barn a dadleuon

Os oes gennych ddiddordeb mawr mewn materion 'gwyrdd' bydd gennych ddigon i'w ddweud ar y testun hwn, ond os nad oes gennych ddiddordeb dywedwch hynny. Byddwch yn cael yr un faint o farciau am ddweud pam nad oes gennych ddiddordeb yn y pwnc.

NON!

Ça ne m'intéresse pas. Je voudrais vivre dans une ville, pas à la campagne.

= Does gen i ddim diddordeb yn hyn. Rydw i eisiau byw mewn dinas, nid yn y wlad.

Les fleurs et la nature sont extrêmement ennuyeuses. Je préfère les jeux d'ordinateur.

= Mae blodau a natur yn hynod o anniddorol. Mae'n well gen i gêmau cyfrifiadurol.

OUI!

Je suis très inquiet / inquiète au sujet de l'environnement à cause de l'effet de serre.

= Rydw i'n poeni'n fawr am yr amgylchedd oherwydd yr effaith tŷ gwydr.

La pollution de l'air par les gaz d'échappement est un danger pour l'environnement.

= Mae'r ffaith fod yr aer yn cael ei lygru gan nwyon ecsôst yn peryglu'r amgylchedd.

GEIRFA HANFODOL YR AMGYLCHEDD

nwyon ecsôst:	les gaz d'échappement (g ll)
llygredd:	la pollution
yr effaith tŷ gwydr:	l'effet de serre (g)
allyriannau:	émissions (b ll)
niweidio:	endommager
peryglu:	être un danger pour ...
llygredd aer:	la pollution de l'air
glaw asid:	les pluies acides
carbon deuocsid:	dioxyde de carbone
natur:	la nature

Ond wrth gwrs, efallai na fydd disgwyl i chi fynegi eich barn ar yr amgylchedd yn yr arholiad siarad, ond er hyn dylech wneud ymdrech i ddysgu'r eirfa hanfodol rhag ofn iddynt gyfeirio at y pwnc yn yr arholiad darllen neu wrando.

Mae cymaint o wahanol agweddau ar yr amgylchedd y gallech eu trafod. Byddwch yn ddoeth bob amser a dysgwch yr hanfodion!

Iechyd a chyffuriau ac alcohol

Dyma gyfle i drafod ABICh yn Ffrangeg. O leiaf, dylai fod gan bob un ohonoch farn ar hyn.

Diet – Un régime

Mae hyn yn ymwneud â pha mor iach yw eich diet dyddiol.

Est-ce que tu manges sainement ?

yn rheolaidd: régulièrement

= Wyt ti'n bwyta'n iach?

Non, je mange des frites presque tous les jours et je bois seulement du coca.

= Nac ydw, rydw i'n bwyta sglodion bron bob dydd a dim ond cola ydw i'n ei yfed.

Oui, je mange beaucoup de salades et de fruits frais.

Mwy o fwyd ar dudalen 48

= Ydw, rydw i'n bwyta llawer o salad a ffrwythau ffres.

L'exercice – Ymarfer corff

Peidiwch â phoeni os nad ydych yn gwneud ymarfer corff, ond dylech allu dweud hynny.

Qu'est-ce que tu fais pour rester en forme?

= Beth wyt ti'n ei wneud i gadw'n heini?

Je fais beaucoup de sport.

= Rydw i'n gwneud llawer o chwaraeon.

Je mange très sainement, je reste mince et j'ai beaucoup d'énergie.

= Rydw i'n bwyta'n iach iawn, rydw i'n cadw'n denau ac mae gen i lawer o egni.

Je joue régulièrement au football et au tennis.

= Rydw i'n chwarae pêl-droed a thennis yn rheolaidd.

Ysmygu, cyffuriau ac alcohol

Qu'est-ce que tu penses du tabagisme ?

= Beth wyt ti'n ei feddwl o ysmygu?

alcohol: alcool
cyffuriau: drogue

JE NE FUME PAS.

= Dydw i ddim yn ysmygu.

La cigarette c'est dégoûtant. Je déteste quand les autres fument, ça sent vraiment mauvais. Je ne sortirais jamais avec un fumeur / une fumeuse.

= Mae ysmygu yn ffiaidd. Mae'n gas gen i pan fydd pobl eraill yn ysmygu, mae'n drewi. Fuaswn i byth yn mynd allan efo bachgen / merch sy'n ysmygu.

J'AIME FUMER.

= Rydw i'n hoffi ysmygu.

C'est cool de fumer. Je sais que ce n'est pas sain, mais mon image est plus importante.

= Mae ysmygu yn cŵl. Does dim ots gen i os yw'n afiach, mae fy nelwedd yn bwysicach.

Mae llawer iawn o bethau y gallech eu dweud ynglŷn â'r pynciau diddorol hyn, ond mae dysgu'r gwaith ar y dudalen hon yn ddechrau da. Meddyliwch pa fath o bethau eraill yr hoffech eu dweud. Ysgrifennwch nhw a'u hymarfer.

Pobl 'enwog'

Mae'r Arholwyr yn cymryd yn ganiataol fod gennych ddiddordeb mawr iawn mewn pobl enwog.

Quelles célébrités aimes-tu? – Pa enwogion wyt ti'n eu hoffi?

Wrth siarad am bobl enwog rydych chi'n eu hedmygu rydych yn defnyddio llawer iawn o'r gwaith syml a ddefnyddir wrth siarad amdanoch chi eich hun a'ch teulu. I ddechrau dywedwch eu henwau, yna beth maen nhw'n ei wneud ac wedyn dywedwch pam ydych chi'n eu hoffi.

PWY? *Je trouve Britney Spears fantastique.* = Rydw i'n meddwl bod Britney Spears yn ffantastig.

BETH? *Elle est une célèbre chanteuse pop américaine.* = Mae hi'n gantores bop Americanaidd.

PAM? *Britney est très mignonne et elle porte toujours de beaux vêtements chics à la mode.* = Mae Britney yn ddel iawn ac mae hi bob amser yn gwisgo dillad smart ffasiynol.

Elle chante comme un ange, aussi. = Mae hi hefyd yn canu fel angel.

C'est mon héroïne absolue! = Hi yw fy arwres ddelfrydol.

L'influence des célébrités — Dylanwad 'enwogion'

Mae pobl ifanc yn aml yn gweld 'enwogion' fel pobl i'w hefelychu. Efallai y bydd disgwyl i chi fynegi barn am hyn yn ogystal ag am yr holl sylw a roddir gan y cyfryngau i 'enwogion'.

Est-ce que les célébrités doivent être considérées comme des exemples positifs pour les jeunes?

= A ddylid ystyried enwogion fel esiamplau positif i bobl ifainc?

OUI!

Bien sûr. Ces personnes ont du succès.

= Wrth gwrs. Mae'r bobl hyn yn llwyddiannus.

On peut les admirer.

= Gallwn eu hedmygu.

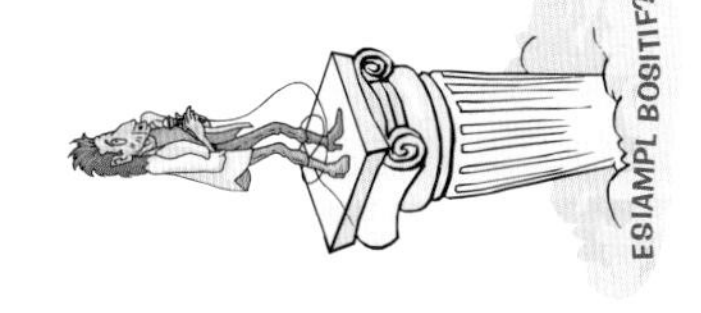

NON!

Pas du tout. Elles ne sont pas des personnes normales.

= Dim o gwbl. Dydyn nhw ddim yn bobl normal.

Certaines filles pensent qu'elles doivent être aussi minces que les 'Supermodels'. Ça cause souvent des problèmes d'anorexie ou de boulimie.

= Mae rhai merched yn meddwl fod yn rhaid iddynt fod mor denau â'r 'Supermodels'. Yn aml mae hyn yn achosi problemau anorecsia neu bwlimia.

GEIRFA HYNOD O DDEFNYDDIOL: DU VOCABULAIRE PLUTOT UTILE

enwog: célèbre
canwr/cantores: un chanteur/une chanteuse
ar y llwyfan: sur la scène
anorecsia: l'anorexie (b)
bwlimia: la boulimie
rhywun i'w efelychu: un modèle
esiampl: un exemple
actor/actores: un acteur/une actrice
edmygu: admirer
(rhywun) enwog: une célébrité
arwr/arwres: un héros/une héroïne
y cyfryngau: les médias
dylanwad: une influence
cyfrifoldeb: la responsabilité
cyfrifol: responsable
achosi: provoquer

Materion cymdeithasol

Efallai eich bod yn gweld materion cymdeithasol yn ddigon anodd yn eich mamiaith heb sôn am eu trafod mewn iaith arall, ond pwyllwch a pheidiwch â dechrau dweud unrhyw beth na allwch orffen ei ddweud.

Le chômage – Diweithdra

Ni allwch ddweud llawer iawn am y mater hwn.

Il y a beaucoup de chômeurs dans ma ville. = Mae llawer o bobl ddi-waith yn fy nhref i.

ychydig: peu
rhai: quelques

ardal: région
dinas: grande ville

Le chômage en Grande-Bretagne n'est pas un problème aujourd'hui. = Nid yw diweithdra yn broblem ym Mhrydain ar hyn o bryd.

Personne n'a de problème pour trouver du travail. = Does neb yn cael trafferth i gael gwaith.

L'égalité des chances – Cyfleoedd cyfartal

Dyma gyfle i chi ddweud eich dweud – yn Ffrangeg wrth gwrs.

Mwy o wledydd ar dudalen 13

Je pense que c'est très important d'avoir des chances égales. = Rydw i'n meddwl bod cyfleoedd cyfartal yn bwysig iawn.

ddim yn bwysig: ce n'est pas important

Certaines personnes sont désagréables avec moi parce que je viens d'Inde. = Mae rhai pobl yn fy nhrin yn annymunol gan fy mod yn dod o India.

anghyfeillgar: ne sont pas sympathiques

rydw i'n ferch: je suis une fille

C'est raciste. = Mae hynny yn hiliol.

rhywiaethol: sexiste
annheg: injuste

Ça m'énerve. = Mae hynny'n mynd ar fy nerfau.

La pression exercée par l'entourage – Dylanwad cyfoedion

Ble bynnag rydych chi'n byw, rydych chi bron yn sicr o orfod goddef pwysau oherwydd dylanwad cyfoedion rywbryd.

C'est très difficile d'être réellement individuel. = Mae'n anodd iawn bod yn gwbl naturiol fel chi eich hun.

Il faut toujours porter des vêtements de marque et c'est vraiment cher. = Rydych chi bob amser yn gorfod gwisgo dillad â labeli arbennig arnynt ac maen nhw'n hynod o ddrud.

Cofiwch ei bod hi'n beth gwirion dweud fod llawer iawn o ddiweithdra yn eich ardal chi os nad yw hynny'n wir. Ceisiwch ddarganfod rhywfaint o wybodaeth rhag ofn i chi wneud traed moch o bethau.

Crynodeb adolygu

Erbyn hyn byddwch yn gwybod fod popeth sydd yn y llyfr hwn wedi ei gynnwys oherwydd ei fod yn arbennig o bwysig. Mae'r adran hon, sy'n trafod y byd ehangach, yn eich helpu i ddatblygu eich sgiliau Ffrangeg a'u defnyddio mewn sefyllfaoedd eraill. Mae angen i chi fod ychydig yn fwy parod i fentro a defnyddio'ch dychymyg er mwyn gallu defnyddio'r hyn rydych yn ei wybod yn barod i ateb cwestiynau annisgwyl.

1) Ysgrifennwch frawddeg lawn yn Ffrangeg yn egluro ym mhle y gwnaethoch eich profiad gwaith. Os na chawsoch brofiad gwaith o gwbl ysgrifennwch hynny.

2) Ysgrifennwch yn Ffrangeg a oeddech chi'n hoffi eich profiad gwaith ai peidio, a pham, neu dywedwch a fuasech chi wedi hoffi cael profiad gwaith ac ym mhle.

3) Mae gennych chi ddwy ffrind lythyru o Ffrainc, Nadine a Sofie. Mae Nadine eisiau cael swydd lle bydd hi'n gallu gweithio gydag anifeiliaid ac mae Sofie eisiau teithio. Sut fyddai'r ddwy yn dweud hynny?

4) Ysgrifennwch sut fyddech chi'n ateb y cwestiwn 'Comment vous appelez-vous?"

5) Sut fyddech chi'n ysgrifennu ateb yn Ffrangeg i hysbyseb am swydd cynorthwy-ydd/wraig mewn siop lyfrau? Eglurwch pam rydych chi eisiau'r swydd a pham ydych chi'n meddwl eich bod chi'n addas.

6) Ysgrifennwch y gair Ffrangeg am: a) cyfeillgar b) cyfrifol c) hyblyg

7) Mae Nadine eisiau gwybod beth yw eich diddordebau. Rhowch ddwy enghraifft o leiaf iddi.

8) Mae Sofie yn poeni'n wirioneddol am yr effaith tŷ gwydr. Dywedwch yn Ffrangeg beth yw eich barn chi am y broblem.

9) Mae Sofie'n benderfynol. Mae hi newydd ddweud wrthych y buasai hi'n hoffi byw mewn cwt pren ymhell o bobman er mwyn bod yn agos at natur. Dywedwch wrthi a ydych yn cytuno â'r syniad hwn ai peidio ac eglurwch pam.

10) Beth yw'r geiriau Ffrangeg am: a) llygredd aer b) allyriannau c) glaw asid ch) carbon deuocsid?

11) Ysgrifennwch restr o'r holl bethau fyddech chi yn eu bwyta fel arfer mewn diwrnod – yn Ffrangeg wrth gwrs.

12) Est-ce que tu manges sainement?

13) Pourquoi? Pourquoi pas?

14) Wyt ti'n gwneud llawer o chwaraeon? Pam? Pam nad wyt ti? Ysgrifennwch sut fyddech chi'n egluro hyn i David Ginola yn ei famiaith.

15) Pa mor bwysig yw 'delwedd' i chi? Ysgrifennwch yr ateb yn Ffrangeg.

16) Mae Nadine yn meddwl ei bod hi wedi syrthio mewn cariad â Robbie Williams. Ysgrifennwch baragraff yn Ffrangeg yn dweud wrthi beth ydych chi'n ei feddwl ohono, a dywedwch pa enwogion ydych chi'n eu hedmygu. Peidiwch ag anghofio rhoi rhesymau.

17) Mae'r salwch bwlimia ar chwaer Charlotte ac ar un adeg roedd anorecsia arni. Sut gallai hi ddweud hyn yn Ffrangeg?

ENWAU

Geiriau am bobl a gwrthrychau

Peidiwch â dychryn! Mae'r gwaith hwn yn llawer haws nag mae'n ymddangos. Mae'n waith syml iawn sy'n ymwneud â geiriau am bobl a gwrthrychau – sef enwau. Mae'n hynod o bwysig.

Mae pob enw yn Ffrangeg un ai'n wrywaidd neu'n fenywaidd

Mae'r ffaith fod gair yn wrywaidd, yn fenywaidd neu'n lluosog yn effeithio ar lawer o bethau. Mae geiriau fel 'un' a 'le' yn newid, a hefyd mae ansoddeiriau (e.e. mawr, coch, gloyw) yn newid i gytuno â'r gair.

ENGHREIFFTIAU: *ci mawr:* un grand chien (gwrywaidd)
tŷ mawr: une grande maison (benywaidd)

Mwy o fanylion am bethau sy'n newid fel hyn ar dudalennau 78 a 79.

Nid yw'n ddigon gwybod y geiriau Ffrangeg am bethau, mae'n rhaid i chi wybod hefyd a yw'r geiriau'n wrywaidd ynteu'n fenywaidd.

Y RHEOL AUR

Cofiwch ddysgu'r 'le' neu'r 'la' sy'n dod o flaen enw.
Peidiwch â dysgu 'ci = chien', dysgwch 'ci = le chien'.

LE A LA

Mae LE o flaen gair yn golygu ei fod yn wrywaidd.
Mae LA o flaen gair yn golygu ei fod yn fenywaidd.

Mae'r rheolau hyn yn eich helpu i ddyfalu beth yw cenedl gair

Pethau anodd

Os bydd rhaid i chi ddyfalu p'un ai yw gair yn wrywaidd ynteu'n fenywaidd, dyma reolau synnwyr y fawd.

Rheolau synnwyr y fawd er mwyn adnabod enwau gwrywaidd a benywaidd

ENWAU GWRYWAIDD:
y rhan fwyaf o enwau sy'n diweddu fel hyn:
-age -er -eau -ing -ment -ou
-ail -ier -et -isme -oir -eil
hefyd: dynion, bechgyn, lliwiau, ieithoedd, dyddiau, misoedd, tymhorau

ENWAU BENYWAIDD:
Y rhan fwyaf o enwau sy'n diweddu yn:
-aine -ée -ense -ie -ise -tion
-ance -elle -esse -ière -sion -tude
-anse -ence -ette -ine -té -ure
hefyd: merched

Gwneud enwau yn lluosog

1) Fel arfer mae enwau yn cael eu gwneud yn lluosog yn Ffrangeg drwy ychwanegu 's'.

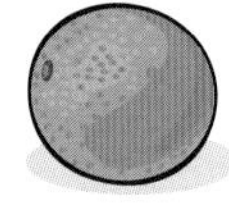

e.e.: une orange → des oranges
oren → orennau

2) Ond ceir eithriadau bob amser yn Ffrangeg. Mae gan yr enwau yn y tabl isod ffurf wahanol ar gyfer y lluosog – ac mae mwy i ddod!

Terfyniad yr enw	Terfyniad lluosog afreoliadd	Enghraifft
-ail	-aux	travail → travaux
-al	-aux	journal → journaux
-eau	-eaux	bureau → bureaux
-eu	-eux	jeu → jeux
-ou	-oux	chou → choux

AWGRYM DEFNYDDIOL AR GYFER Y LLUOSOG

Bob tro y byddwch yn dysgu gair newydd, dysgwch sut i ffurfio'r lluosog hefyd.

Bydd yn rhaid i chi ddysgu'r enwau hyn drwy ymarfer drosodd a throsodd.
Mae gan rai enwau ffurfiau lluosog cwbl afreolaidd, e.e. oeil → yeux (llygad → llygaid)

3) Nid yw rhai enwau yn newid yn y lluosog.
Fel arfer mae'r enwau hyn yn diweddu ag -s, -x neu -z.

un nez → des nez
trwyn → trwynau
un os → des os
asgwrn → esgyrn

4) Y ffurf luosog ar gyfer 'le', 'la' a 'l'', yw 'les' – gweler tudalen 78.

Bob tro y byddwch yn dysgu gair Ffrangeg mae'n rhaid i chi ddysgu pa un ai 'le' neu 'la' ydyw ac mae'n rhaid i chi ddysgu beth ydy'r ffurf luosog.

Geiriau cysylltu – Brawddegau hwy

CYSYLLTEIRIAU

Mae pawb yn gwybod fod brawddegau hir yn 'glyfar' – ac mae Arholwyr yn hoffi pobl glyfar. Felly dysgwch y geiriau cysylltu (cysyllteiriau) hyn i'ch helpu i wneud brawddegau hwy ac i ennill mwy o farciau.

Et = A/Ac

J'aime jouer au football. **A** *J'aime jouer au rugby.* **=** *J'aime jouer au football et au rugby.*

= Rydw i'n hoffi chwarae pêl-droed. = Rydw i'n hoffi chwarae rygbi. = Rydw i'n hoffi chwarae pêl-droed a rygbi.

ENGHRAIFFT ARALL: *J'ai un frère et une soeur.* = Mae gen i frawd a chwaer.

Ou = Neu/Ynteu

Mae hwn yn wahanol i 'où' (ag acen), sy'n golygu 'ble/lle' – gweler tudalen 5.

Il joue au football tous les jours. **NEU** *Il joue au rugby tous les jours.* **=** *Il joue au football ou au rugby tous les jours.*

= Mae o'n chwarae pêl-droed bob dydd. = Mae o'n chwarae rygbi bob dydd. = Mae o'n chwarae pêl-droed neu rygbi bob dydd.

ENGHRAIFFT ARALL:

Je voudrais être médecin ou infirmière. = Hoffwn i fod yn feddyg neu yn nyrs.

Mwy am 'na/nac' ar dudalen 95.

Mais = Ond

J'aime jouer au football. **OND** *Je n'aime pas jouer au rugby.* **=** *J'aime jouer au football mais je n'aime pas jouer au rugby.*

= Rydw i'n hoffi chwarae pêl-droed. = Dydw i ddim yn hoffi chwarae rygbi. = Rydw i'n hoffi chwarae pêl-droed ond dydw i ddim yn hoffi chwarae rygbi.

ENGHRAIFFT ARALL: *Je veux jouer au tennis, mais il pleut.* = Rydw i eisiau chwarae tennis, ond mae hi'n bwrw glaw.

Parce que = Oherwydd

Mae hwn yn air hynod o bwysig y byddwch ei angen i egluro pethau. Gallwch ddysgu llawer mwy am y gair hwn ar dudalen 7.

J'aime le tennis parce que c'est amusant. = Rydw i'n hoffi tennis oherwydd mae'n hwyl.

Cysyllteiriau bach eraill y dylech eu deall

Nid oes raid i chi ddefnyddio pob un o'r rhain, ond dylech eu deall os byddwch yn eu gweld neu'n eu clywed.

oherwydd: car
os: si
gyda/â: avec
fel/yn debyg i: comme
felly: donc
tra, yn ystod: pendant (que)

Mwy am 'car' ar dudalen 7

ENGHREIFFTIAU:

Tu peux sortir si tu veux. = Cei fynd allan os wyt ti eisiau.

J'ai faim, donc je vais manger. = Rydw i eisiau bwyd, felly rydw i'n mynd i fwyta.

Il est comme son frère. = Mae o'n debyg i'w frawd.

Elle joue au hockey pendant qu'il pleut. = Mae hi'n chwarae hoci tra mae hi'n glawio.

Pethau anodd

Rydych chi'n defnyddio'r geiriau 'ac', 'neu' ac 'ond' drwy'r adeg yn y Gymraeg – os na fyddwch yn eu defnyddio wrth siarad Ffrangeg, byddwch yn swnio ychydig yn rhyfedd. Ond cofiwch, peidiwch â chymysgu 'ou' ac 'où'. Mae'n beth da hefyd os gallwch adnabod yr holl eiriau ychwanegol ar waelod y dudalen – a gorau oll os gallwch eu defnyddio.

BANODAU

'Le' ac 'Un'

Mae'r geiriau bach hyn yn hanfodol ac rydych yn eu defnyddio'n amlach na'ch ffôn symudol. Maen nhw ychydig yn gymhleth yn Ffrangeg gan fod gwahanol rai ar gyfer geiriau gwrywaidd, benywaidd neu luosog (gweler tudalen 76).

'Un, une'

1) Yn Ffrangeg, fel yn y Gymraeg, mae gan bob gair genedl – gall geiriau fod yn wrywaidd neu'n fenywaidd.
2) Yn Ffrangeg mae'n rhaid i chi wybod pa fath o air sydd ei angen arnoch, gwrywaidd ynteu benywaidd.

gwrywaidd	benywaidd
un	une

Chi gythreuliaid gramadeg: yr enw ar y geiriau hyn yw 'Banodau amhendant'

ENGHREIFFTIAU

Gwrywaidd: *J'ai un frère.* = Mae gen i frawd.

Benywaidd: *J'ai une soeur.* = Mae gen i chwaer.

'Y' ac 'yr' – le, la, l', les

1) Yn yr un modd mae'r gair Ffrangeg am 'y'/ 'yr' yn wahanol ar gyfer y gwrywaidd, y benywaidd a'r lluosog.
2) O flaen geiriau sy'n cychwyn â llafariad (a, e, i, o, u) a rhai geiriau sy'n cychwyn â 'h', mae'r 'le' neu 'la' yn cael eu byrhau yn 'l'' e.e. l'orange, l'hôpital.

Chi gythreuliaid gramadeg: yr enw ar y rhain yw 'Banodau pendant'.

gwrywaidd unigol	benywaidd unigol	o flaen llafariad	gwrywaidd lluosog neu fenywaidd lluosog
le	la	l'	les

ENGHREIFFTIAU:

Le garçon. = Y bachgen.
La fille. = Y ferch.
L'homme. = Y dyn.
Les hommes. = Y dynion.

1) Mae pethau rhyfedd yn digwydd i 'à' (i) a 'de' (o).
2) Ni allwch ddweud 'à le', 'à les' neu 'de les'.
3) Mae 'le' a 'les' yn cyfuno ag 'à' neu 'de', i wneud geiriau newydd – 'au', 'aux', 'du' a 'des'.

	le	la	l'	les
+ à	au	à la	à l'	aux
+ de	du	de la	de l'	des

ENGHRAIFFT: *je vais à* + *le café* = *Je vais au café.* = Rydw i'n mynd i'r caffi.

'du', 'de la', 'de l'', 'des'

Mae'r geiriau hyn yn union yr un fath â'r 'le, la, l' a les + de' yn y tabl uchod. Ond maen nhw'n haeddu sylw arbennig. Yn ogystal â golygu 'o/o'r' maen nhw'n golygu 'rhywfaint o' hefyd.

Chi gythreuliaid gramadeg: yr enw ar y rhain yw 'Banodau cyfrannol'

ENGHREIFFTIAU:

Avez-vous du pain? = Oes gennych chi fara?
J'ai des pommes. = Mae gen i afalau.

gwrywaidd unigol	benywaidd unigol	o flaen llafariad	gwrywaidd lluosog neu fenywaidd lluosog
du	de la	de l'	des

D.S. Mewn brawddegau negyddol, fel 'Does gen i ddim afalau', rydych yn defnyddio 'de' yn unig – 'Je n'ai pas de pommes'.

Efallai bod y gwaith hwn yn ymddangos yn gymhleth ond mae'n rhaid i chi ddysgu popeth er mwyn ysgrifennu Ffrangeg cywir yn yr Arholiad. Dylech allu cuddio'r dudalen ac ysgrifennu'r pedwar tabl – daliwch i ymarfer eu hysgrifennu nes byddwch yn gallu gwneud hynny yn eich cwsg.

Geiriau i ddisgrifio pethau

ANSODDEIRIAU

Wrth ddefnyddio ansoddeiriau diddorol byddwch yn ennill mwy o farciau. Gofalwch eich bod yn deall beth ydych chi'n ei ddweud hefyd!

Mae'n rhaid i ansoddeiriau 'gytuno' â'r peth maen nhw'n ei ddisgrifio.

Yn Ffrangeg mae'n rhaid i'r ansoddair newid i gyd-fynd â'r gair sy'n cael ei ddisgrifio. Gallai'r gair hwnnw fod yn wrywaidd/benywaidd ac yn unigol/lluosog. Edrychwch ar yr enghreifftiau hyn lle mae 'grand' yn newid:

GWRYWAIDD UNIGOL	GWRYWAIDD LLUOSOG	BENYWAIDD UNIGOL	BENYWAIDD LLUOSOG
le grand garçon *(y bachgen mawr)*	les grands garçons *(y bechgyn mawr)*	la grande fille *(y ferch fawr)*	les grandes filles *(y merched mawr)*

Dyma'r rheolau: ①

Ychwanegwch '-e' at yr ansoddair os yw'r gair sy'n cael ei ddisgrifio yn fenywaidd (gweler tudalen 76).

Dim ond os nad yw'r ansoddair yn gorffen ag '-e' yn barod.

②

Ychwanegwch '-s' at yr ansoddair os yw'r gair sy'n cael ei ddisgrifio yn lluosog (gweler tudalen 76).

"Rydych chi'n drewi!"
"Dwi'n cytuno"

(Wrth gwrs, golyga hyn os yw'n air benywaidd lluosog fod yn rhaid i chi ychwanegu '-es'.)

NODYN PWYSIG: Pan ydych yn chwilio am ansoddair yn y geiriadur mae'n cael ei roi yn y ffurf wrywaidd unigol. Rhaid mai dynion sengl ysgrifennodd y geiriadur!

Dysgwch yr ansoddeiriau nad ydynt yn dilyn y rheolau

1) Wrth gwrs, byddai pethau'n rhy hawdd heb yr eithriadau hyn.
Mae ansoddeiriau sy'n gorffen â: -x, -f, -er, -on, -en, -el ac -il yn dilyn rheolau gwahanol:

Grŵp terfyniadau geiriau:	Y rhai mwyaf pwysig yn y grŵp	Engraifft	Gwr. Unigol	Ben. Unigol	Gwr. Lluosog	Ben. lluosog
-x	sérieux (difrifol), ennuyeux (diflas), délicieux (blasus), dangereux (peryglus), merveilleux (gwych, ardderchog), a heureux →	heureux (hapus)	heureux	heureuse	heureux	heureuses
-f	actif (bywiog), négatif (negyddol), sportif (hoff o chwaraeon), vif(bywiog), a neuf →	neuf (newydd)	neuf	neuve	neufs	neuves
-er	dernier (olaf), fier (balch), cher (annwyl), étranger (tramor), a premier →	premier (cyntaf)	premier	première	premiers	premières
-on, -en, -el, -il	mignon (del), ancien (hen/cyn), cruel (creulon), gentil (caredig), a bon →	bon (da)	bon	bonne	bons	bonnes
-c	sec (sych), franc (gonest), a blanc →	blanc (gwyn)	blanc	blanche	blancs	blanches

D.S. Mae acen yn cael ei hychwanegu yn 'sèche' (b. unig.) a 'sèches' (b. lluos.).
Ac yn y gair 'public' mae'r 'c' yn dod yn 'que': publique (b. unig.), publiques (b. lluos.)

2) Hefyd mae rhai ansoddeiriau sy'n gwbl afreolaidd – bydd yn rhaid i chi eu dysgu ar eich cof.

Gwrywaidd Unigol	o flaen enw gwr. unigol yn cychwyn a llafariad neu h	Ben. Unigol	Gwr. Lluosog	Ben. lluosog
vieux (hen)	vieil	vieille	vieux	vieilles
beau (hardd/prydferth)	bel	belle	beaux	belles
nouveau (newydd)	nouvel	nouvelle	nouveaux	nouvelles
fou (gwallgof/hurt)	fol	folle	fous	folles
long (hir)	—	longue	longs	longues
tout (holl/i gyd)	—	toute	tous	toutes

O na! mwy o dablau i'w dysgu! Er mwyn gallu defnyddio'r terfyniadau hyn mae angen dysgu cenedl yr enwau yn y lle cyntaf. Mae'n rhaid i chi wybod gyda beth mae'r ansoddair yn cytuno.

ANSODDEIRIAU

Geiriau i ddisgrifio pethau

Dyma 20 o ansoddeiriau – dyma'r rhai y bydd yn rhaid i chi eu gwybod.

Mwy am liwiau ar dudalen 45

20 o'r Ansoddeiriau Mwyaf Cyffredin

da: bon(ne)	*digalon/trist:* triste	*diddorol:* intéressant(e)	*mawr/tal:* grand(e)	*newydd:* nouveau(elle)
drwg: mauvais(e)	*hawdd:* facile	*diflas:* ennuyeux(euse)	*bach/byr:* petit(e)	*newydd sbon:* neuf (neuve)
hardd: beau(belle)	*anodd:* difficile	*rhyfedd:* étrange	*hen:* vieux(vieille)	*cyflym:* rapide
hapus: heureux (euse)	*normal:* normal(e)	*hir:* long(ue)	*ifanc:* jeune	*araf:* lent(e)

Mae'r rhan fwyaf o'r ansoddeiriau yn dilyn y gair maen nhw'n ei ddisgrifio

Yn Ffrangeg mae'r rhan fwyaf o ansoddeiriau yn dod ar ôl y gair sy'n cael ei ddisgrifio (yr enw).

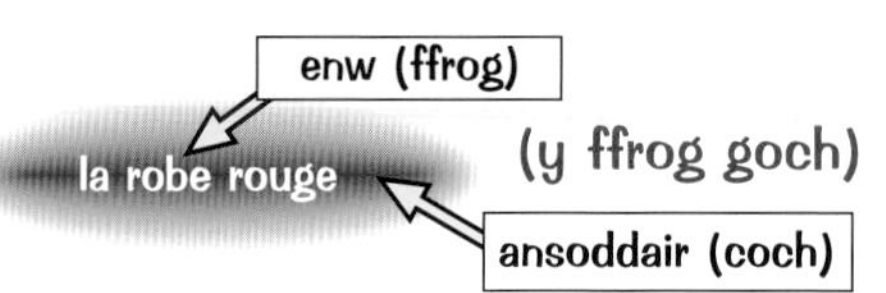

(y ffrog goch)

ENGHRAIFFT: *J'ai une voiture rapide.*
= Mae gen i gar cyflym.

Mae rhai ansoddeiriau yn eithriadau a bob amser yn dod o flaen yr enw

Mae'r ansoddeiriau hyn bron bob amser yn dod o flaen yr enw – mwy o waith dysgu!

ENGHRAIFFT: *J'ai un nouveau chat.*
= Mae gen i gath newydd.

da: bon(ne)	*mawr:* grand(e)	*bach:* petit(e)
hardd: beau (belle)	*ifanc:* jeune	*drwg:* mauvais(e)
gorau: meilleur(-e)	*hen:* vieux(vieille)	*uchel:* haut(e)
newydd: nouveau(-elle)	*del:* joli(e)	*hyll:* vilain(e)

Mae ystyr rhai yn newid yn dibynnu ar eu lleoliad

Mae ystyr rhai ansoddeiriau yn newid gan ddibynnu ar ble maen nhw, o flaen neu ar ôl yr enw. Dyma rai enghreifftiau pwysig – dysgwch y rhain yn ofalus.

ansoddair	yr ystyr o flaen yr enw	yr ystyr ar ôl yr enw
ancien	cyn un ancien soldat (cyn filwr)	hen/hynafol un soldat ancien (hen filwr)
cher	annwyl mon cher ami (f'annwyl ffrind)	drud une voiture chère (car drud)
propre	fy hun, dy hun, ei hun ac ati. ma propre chambre (fy ystafell fy hun)	glân ma chambre propre (f'ystafell lân)

Fy, dy, ein – geiriau sy'n dweud i bwy mae rhywbeth yn perthyn

Mae'n rhaid i chi allu defnyddio a deall y geiriau hyn sy'n dweud fod rhywbeth yn perthyn i rywun:

Mae'n rhaid i chi ddewis gwrywaidd, benywaidd neu luosog, i gyd fynd â'r peth sy'n cael ei ddisgrifio (NID y person sydd biau'r peth)

	gwrywaidd unigol	benywaidd unigol	lluosog
fy	mon	ma	mes
dy	ton	ta	tes
ei / ei	son	sa	ses
ein	notre	notre	nos
eich	votre	votre	vos
eu	leur	leur	leurs

Mon père est petit, ma mère est grande.
= Mae fy nhad yn fyr, mae fy mam yn dal.

OND o flaen enw sy'n cychwyn â llafariad, cofiwch ddefnyddio'r ffurf wrywaidd bob amser. Y rheswm am hyn yw ei fod yn haws ei ddweud.

Mon amie s'appelle Helen. = Enw fy ffrind yw Helen.

Mae'n rhaid i chi ddysgu nifer fawr o ansoddeiriau. Cofiwch ddysgu pa rai sy'n dod o flaen yr enw – a pheidiwch ag anghofio pa rai sy'n dod o flaen neu ar ôl yr enw ac sy'n newid eu hystyr. Er mwyn rhoi argraff dda ar yr Arholwyr, dysgwch sut i'w defnyddio'n gywir.

Gwneud brawddegau yn fwy diddorol

ADFERFAU

Mae'r ddwy dudalen flaenorol yn ymwneud â disgrifio gwrthrychau, e.e. Mae'r bws yn goch. Mae'r dudalen hon yn ymwneud â disgrifio pethau rydych chi'n eu gwneud, e.e. Rydw i'n siarad Ffrangeg yn berffaith, ac ychwanegu mwy o wybodaeth, e.e. mae'r bws yn goch iawn neu rydw i'n siarad Ffrangeg bron yn berffaith.

Gwnewch eich brawddegau'n fwy diddorol drwy ddweud sut rydych chi'n gwneud pethau

1) Yn y Gymraeg nid ydym yn dweud 'Rydym yn siarad araf' – mae'n rhaid i chi roi'r gair 'yn' o flaen 'araf' i gael 'Rydym yn siarad yn araf'.

2) Yn Ffrangeg mae'n rhaid i chi ychwanegu 'ment' ar y diwedd, ond yn gyntaf mae'n rhaid i chi sicrhau fod yr ansoddair yn y ffurf fenywaidd (gweler tudalen 72).

Chi gythreuliaid gramadeg: 'adferfau' yw'r enw ar y rhain

ENGHRAIFFT: *Il parle lentement.* = Mae o'n siarad yn araf.

yn arferol/fel arfer: normalement
yn rhyfedd: étrangement

Y gair Ffrangeg am 'araf' yw 'lent', ond y ffurf fenywaidd yw 'lente'. Ychwanegwch 'ment' a byddwch yn cael 'lentement' = yn araf.

3) Yn wahanol i ansoddeiriau normal (gweler tudalen 79) nid yw'r geiriau hyn byth yn newid – hyd yn oed os yw pwy/beth bynnag sy'n gwneud y weithred yn fenywaidd neu'n lluosog.

ENGHREIFFTIAU:

Benywaidd → *Elle parle lentement.*
Lluosog → *Nous parlons lentement.*

Bob amser yr un fath.

Dysgwch yr eithriadau hyn ar eich cof

Wrth gwrs, i gymhlethu pethau ceir eithriadau:

MWY O ENGHREIFFTIAU O YCHWANEGU PETHAU AT FRAWDDEG:

Eithriadau Ffrangeg

CYMRAEG	FFRANGEG
da → yn dda	bon(ne) → bien
drwg → yn ddrwg	mauvais(e) → mal
drud → yn ddrud	cher/chère → cher

Je chante. Rydw i'n canu.

Je chante bien. Rydw i'n canu'n dda.

Je chante mal. Rydw i'n canu'n wael.

Defnyddiwch un o'r pum gair hyn i fanylu mwy fyth

Rhowch un o'r pum gair yma o flaen yr ansoddair mewn brawddeg i fanylu mwy a chreu argraff ar yr Arholwyr.

Gallwch eu defnyddio mewn brawddegau sy'n dweud sut mae rhywbeth yn cael ei wneud ...

Je cours trop lentement. = Rydw i'n rhedeg yn rhy araf.

iawn: très
eithaf: assez/bien
rhy: trop
bron: presque.

...a brawddegau sy'n disgrifio rhywbeth.

Bob est très heureux. = Mae Bob yn hapus iawn.

Mae'r gwaith ar '-ment' yn eithaf syml. Gofalwch eich bod yn gwybod y rheol safonol yn iawn a'r holl eithriadau. Dechreuwch ymarfer ychwanegu manylyn bach at frawddegau Ffrangeg ... a defnyddiwch rai yn eich Arholiadau Llafar ac Ysgrifennu.

GRADDAU CYMHAROL AC EITHAF

Cymharu pethau

Yn aml rydych chi eisiau dweud mwy na bod rhywbeth yn flasus, gwlyb, ac ati. Rydych chi eisiau dweud mai hwn yw'r mwyaf blasus, neu bod hwn yn wlypach na rhywbeth arall ...

Sut i ddweud 'mwy rhyfedd', 'mwyaf rhyfedd'

Yn Ffrangeg ni allwch ddweud 'rhyfeddach' neu 'rhyfeddaf', mae'n rhaid i chi ddweud 'mwy rhyfedd' neu 'y mwyaf rhyfedd'.

Dave est étrange. — = Mae Dai yn rhyfedd.

Dave est plus étrange. — = Mae Dai yn fwy rhyfedd.

Dave est le plus étrange. — = Dai yw'r mwyaf rhyfedd.

hen: vieux	*hŷn:* plus vieux	*hynaf:* le plus vieux
mawr (neu dal): grand	*mwy:* plus grand	*mwyaf:* le plus grand

Ychwanegwch 'plus' — Ychwanegwch 'le plus'

Gallwch wneud hyn gydag unrhyw ansoddair bron.
Mwy o ansoddeiriau ar ben tudalen 80.

OND, fel yn y Gymraeg, ceir eithriadau:

da: bon	*gwell:* meilleur	*gorau:* le meilleur
drwg: mauvais	*gwaeth:* pire	*gwaethaf:* le pire

Le vélo bleu est le meilleur.

= Y beic glas yw'r gorau.

Pethau anodd

Rhaid rhoi 'la plus ...' gyda'r benywaidd, 'les plus ...' gyda'r lluosog.

Yn lle 'le plus' mae'n rhaid i chi ddefnyddio 'la plus' neu 'les plus' i gytuno â'r gair rydych chi'n ei ddisgrifio (gweler tudalen 76).

Liz est la plus grande. = Liz ydy'r dalaf.

Ed et Jo sont les plus grands. = Ed a Jo ydy'r talaf.

Yn ogystal, mae'n rhaid i chi newid yr ansoddair – fel arfer ychwanegu 'e' yn y benywaidd, ac/neu 's' yn y lluosog (gweler tudalen 79).D.S. – dim ond gydag ansoddeiriau rydych chi'n gwneud hyn. NID YDYCH YN GWNEUD HYN gydag adferfau (gweler isod).

Mae 'yn fwy rhyfedd' neu 'yn fwyaf rhyfedd' fwy neu lai yr un fath ...

Pan ydych chi'n dweud fod rhywun yn gwneud rhywbeth yn fwy neu fwyaf ....., rydych chi'n dilyn yr un patrwm â'r uchod, ond yn lle defnyddio ansoddeiriau (gweler tudalennau 79 a 80), rydych yn defnyddio adferfau (gweler tudalen 81).

ee:

Dave parle étrangement . — = Mae Dai yn siarad yn rhyfedd.

Dave parle plus étrangement . — = Mae Dai yn siarad yn fwy rhyfedd.

Dave parle le plus étrangement . — = Dai sy'n siarad fwyaf rhyfedd.

Mae un eithriad y dylech ei wybod: *yn dda:* bien → *yn well:* mieux → *orau:* le mieux.

Dysgwch y tair ffordd yma o gymharu pethau

Rydych yn gosod y geiriau piws ar bob ochr i'r ansoddair, fel hyn:

Ed est plus jeune que Tom. — = Mae Ed yn iau na Tom.

Ed est moins jeune que Tom. — = Mae Ed yn llai ifanc na Tom.

Ed est aussi jeune que Tom. — = Mae Ed yr un mor ifanc â Tom.

Gofalwch eich bod yn dysgu sut i ddweud mwy neu mwyaf, a sut i ddweud mwy na, cymaint â a llai (mawr) na. Cofiwch ddysgu'r holl eithriadau hefyd. Y peth gorau i'w wneud yw defnyddio'ch dychymyg a llunio brawddegau cymharu i sicrhau eich bod yn gwybod popeth yn iawn.

Geiriau bach pwysig

ARDDODIAID

Mae'r gwaith hwn yn ymddangos yn ddychrynllyd o anodd, ond mae'n rhaid i chi ei ddysgu er mwyn cael marciau da. Mewn gwirionedd dim ond 7 gair sydd raid i chi eu dysgu.

I – 'à' neu 'en'

Pan fyddwn ni'n defnyddio 'i', yn Ffrangeg defnyddir 'à':

Il va à Paris. = Mae o'n mynd i Baris.

Ond ar gyfer gwledydd, defnyddir 'en':

Il va en France. = Mae o'n mynd i Ffrainc.

'y trên i Lundain' gweler y rhan o dan AM/I/ERS

Amserau fel 10 munud i 4 – gweler tudalen 2.

AR – 'sur', 'à'

Gweler 'GWYLIWCH' dan 'AM/YN'

'Ar ben' rhywbeth yw 'sur':

Sur la table. = Ar (ben) y bwrdd.

Pan nad yw'n golygu 'ar ben' mae'n 'à':

Je l'ai vu à la télé. = Gwelais o ar y teledu.

J'irai à pied. = Mi âf ar droed.

Wrth sôn am ddyddiau'r wythnos, mae 'ar' yn cael ei hepgor:

Je pars lundi. = Rydw i'n gadael ar ddydd Llun.

YN – 'dans', 'à' neu 'en'

Os yw rhywbeth y tu mewn i rywbeth arall, defnyddir 'dans':

C'est dans la boîte. = Mae o yn y bocs.

Os yw rhywbeth mewn tref, defnyddir 'à':

J'habite à Marseille. = Rydw i'n byw yn Marseille.

Os yw rhywbeth mewn gwlad, yna defnyddir 'en':

J'habite en France. = Rydw i'n byw yn Ffrainc.

O = 'de' neu 'à partir de'

Pan ydym ni'n defnyddio 'o', yn Ffrangeg defnyddir 'de':

De Londres à Paris. = O Lundain i Baris.

Je viens de Cardiff. = Rydw i'n dod o Gaerdydd.

Edrychwch ar y darn 'GWYLIWCH' o dan 'O' – 'de' neu 'en'.

À partir du 4 juin. = O'r 4ydd o Fehefin ymlaen.

'wedi ei wneud o' – gweler 'wedi ei wneud o' o dan 'O' – 'de' neu 'en'.

O – 'de' neu 'en'

Pan ydym ni'n defnyddio 'o', yn Ffrangeg defnyddir 'de':

Une bouteille de lait. = Potel o laeth.

GWYLIWCH: weithiau mae'n anodd gweld 'de' mewn brawddeg, oherwydd mae de + le = du, a de + les = des – gweler tudalen 78.

'Wedi ei wneud o' yw 'en': *C'est en cuir.* = Mae wedi ei wneud o ledr.

Mae 'o' yn cael ei hepgor mewn dyddiadau (gweler tudalen 3): *Le 2 juin.* = Yr ail o Fehefin.

AM/I/ERS – 'pour' neu 'depuis'

Pan ydym ni'n defnyddio 'am', yn Ffrangeg defnyddir 'pour':

Un cadeau pour moi. = Anrheg i mi.

Er mwyn dweud 'y trên (sy'n mynd) i ...' defnyddir 'pour':

Le train pour Calais = Y trên i Calais.

Er mwyn dweud pethau fel 'Rydw i wedi astudio Ffrangeg ers 5 mlynedd' defnyddiwch yr amser presennol (gweler tudalen 88) a 'depuis':

J'apprends le français depuis cinq ans.

'Rydw i'n astudio' – amser presennol.

= Rydw i wedi bod yn astudio Ffrangeg ers 5 mlynedd.

AM/YN – à

A la maison. = Gartref (yn y tŷ)

(Cofiwch nad oes angen acen ar brifllythyren.)

À six heures. = Am chwech o'r gloch

Elle est à l'école. = Mae hi yn yr ysgol.

GWYLIWCH: weithiau mae'n anodd gweld 'à' mewn brawddeg, oherwydd 'à' + 'le' = 'au', ac 'à' + 'les' = 'aux' – gweler tudalen 78.

Dysgwch y geiriau hyn i ddweud lle mae rhywbeth

Bydd angen y geiriau bach hyn arnoch yn aml, i ddweud ym mhle mae pethau yn eich tref/cartref.

La banque est en face de l'hôtel et du café. = Mae'r banc gyferbyn â'r gwesty a'r caffi.

yn ymyl/gerllaw: à côté de
y tu ôl i: derrière
o flaen: devant
yng ngwaelod/ym mhendraw: au fond de
rhwng: entre
tan/dan: sous
o dan/yn is na: au-dessous de
ar/ar ben: sur
dros/uwch na: au-dessus de
yn erbyn: contre
gyferbyn â: en face de
yn/mewn/i mewn: dans
ar ddiwedd: au bout de

Mae gan arddodiaid lawer iawn o wahanol ystyron yn y Gymraeg – mae'n bwysig cofio fod yr un peth yn wir yn Ffrangeg, ond nid yr un rhai yn unig. Mae'n rhaid i chi ddysgu'r geiriau o safbwynt Ffrengig.

RHAGENWAU

Fi, ti, ef/hi, nhw ...

Mae rhagenwau yn eiriau sy'n cymryd lle enwau – geiriau fel 'ti', 'hi' neu 'nhw'.

Mae gan Dai swydd newydd yn y parlwr pwdls. Mae o/e'n hoffi eillio pwdls.

Mae 'o/e(f)' yn rhagenw. Mae'n golygu nad oes raid i chi ddweud 'Dai' eto.

je, tu, il, elle – fi, ti, ef, hi

Byddwch angen 'fi', 'ti', 'ef' ac ati, fwyaf aml ar gyfer y prif berson mewn brawddeg (y goddrych). Dysgwch bob un ohonynt neu byddwch yn cael trafferthion ofnadwy yn yr Arholiadau.

Y rhagenwau goddrychol

fi	je	nous	*ni*	
ti	tu	vous	*chi*	
ef	il	ils	*nhw*	*(gwr. neu gyfuniad o wrywaidd a benywaidd)*
hi	elle	elles	*nhw*	*(benywaidd i gyd)*
un/rhywun/ ni	on			

Le chien mange la brosse. = Mae'r ci yn bwyta'r brwsh.

Il mange la brosse. = Mae o/e'n bwyta'r brwsh.

TU A VOUS

Cofiwch – defnyddir 'tu' ar gyfer ffrindiau, aelodau o'r teulu a phobl ifanc eraill. Rydych yn defnyddio 'vous' wrth gyfarch mwy nag un person, neu er mwyn bod yn gwrtais (wrth siarad â phobl eraill hŷn na chi sydd heb fod yn aelodau o'ch teulu neu ffrindiau).

me, te, le, la – fi/i, ti, ef, hi

Mae'r rhain yn cynrychioli'r person/peth mewn brawddeg y mae'r weithred yn digwydd iddo/iddi (y gwrthrych uniongyrchol).

Dave lave le chien. = Mae Dai yn golchi'r ci.

Dave le lave. = Mae Dai yn ei olchi.

Y rhagenwau gwrthrychol uniongyrchol

fi	me	nous	*ni*
ti	te	vous	*chi*
ef/fe/ei	le	les	*nhw*
hi/ei	la		

Mae geiriau arbennig yn cyfateb i 'i mi', 'iddi hi', 'iddyn nhw', ac ati.

Er mwyn mynegi'r syniad o wneud rhywbeth i rywun, rhoi rhywbeth i rywun, siarad â rhywun neu anfon rhywbeth at rywun, rydych yn defnyddio'r rhagenwau gwrthrychol anuniongyrchol.

Le chien donne la brosse à Dave. = Mae'r ci yn rhoi'r brwsh i Dai.

Le chien lui donne la brosse. = Mae'r ci yn rhoi'r brwsh iddo.

Y rhagenwau gwrthrychol anuniongyrchol

i mi	me	nous	*i ni*
i ti	te	vous	*i chi*
iddo ef/fo/iddi hi	lui	leur	*iddyn nhw*

Ewch chi ddim ymhell iawn yn yr Arholiad os na fyddwch yn gallu dweud pethau fel fi, ti, ef a hi. Mae'n ddigon hawdd i ddweud y gwir. Nid oes raid i chi ddysgu unrhyw frawddegau ar y dudalen hon – dim ond ychydig o eiriau yr ydych yn eu gwybod yn barod mae'n debyg. Felly does dim esgus o gwbl.

Fi, ti, ef, nhw ac 'en' ac 'y'

RHAGENWAU PWYSLEISIOL, 'EN', 'Y', TREFN RHAGENWAU

Fel arfer bydd arnoch angen y rhagenwau sydd ar dudalen 84, ond weithiau bydd arnoch angen y rhai arbennig sydd ar ran gyntaf y dudalen hon.

Geiriau arbennig am fi, ti, ef, hi, ...

Mae angen i chi ddeall a defnyddio'r geiriau hyn wrth siarad am bobl. Maen nhw'n pwysleisio pwy yw'r person pwysig yn y frawddeg. Yn y Gymraeg gallwch wneud hyn drwy newid goslef eich llais, ond yn Ffrangeg mae'n rhaid i chi ddefnyddio un o'r geiriau hyn.

Y rhagenwau pwysleisiol

(y) fi	moi	nous	*ni*
ti	toi	vous	*chi*
ef/fo	lui	eux	*nhw (gwr. neu cymysg)*
hi	elle	elles	*nhw (ben.)*

un/rhywun/ eich hun, ein hunain, ac ati: soi

Mae'n rhaid i chi eu defnyddio mewn brawddegau fel y rhain:

1) Dweud wrth bobl beth i'w wneud. *Ecoutez-moi!* = Gwrandewch arna i ! *Mwy am frawddegau fel hyn ar dudalen 97.*

2) Cymharu pethau. *Il est plus grand que toi.* = Mae o'n dalach na thi. *Mwy am gymharu ar dudalen 82.*

3) Ar ôl geiriau fel 'gyda', 'i', 'gan' ... (arddodiaid). *Nous allons avec eux.* = Rydym ni'n mynd gyda nhw. *Mwy am arddodiaid ar dudalen 83.*

4) Pan fydd y geiriau ar eu pennau eu hunain, neu ar ôl 'c'est'. *Qui parle? C'est moi!* = Pwy sy'n siarad? Fi! Y fi!

Mae angen i chi ddeall y rhain pan fyddant yn ymddangos yn yr Arholiadau Darllen neu Wrando. Maen nhw i gyd yn golygu 'y person ei hun'/'y personau eu hunain'. (fi fy hun, ti dy hun, ef ei hun, ac ati)

moi-même, toi-même, lui-même, elle-même, soi-même, nous-mêmes, vous-mêmes, eux-mêmes, elles-mêmes

Fel arfer rydych chi'n sôn amdanoch eich hun mewn ffordd wahanol. Gweler tudalen 94.

Dau air cyffredin iawn – 'en' ac 'y'

1) EN – ystyr y rhagenw hwn yw '*ohono*', '*ohonynt/ohonyn nhw*'.

e.e. J'en prends trois. *Fe gymera i dri ohonyn nhw.*
Os yw berf angen *de*, fel 'avoir besoin de', mae '*en*' yn golygu 'ohono'/'ohonyn nhw':

e.e: J'ai besoin d'une banane. → J'en ai besoin
Mae arnaf angen banana → *Mae ei angen arnaf.*

2) Y – mae'r gair bychan hwn yn golygu '*yno*'.

e.e. J'y vais *Rydw i'n mynd yno.*
Mae'n cael ei ddefnyddio hefyd i olygu '*am hyn*'/'*am hynny*'/'*am y peth*' ar ôl berfau gydag '*à*' yn eu dilyn e.e. penser à – meddwl am.

e.e. Je n'y pense plus.
Dydw i ddim yn meddwl mwy am y peth.
Mae'n cael ei ddefnyddio hefyd mewn llawer o ymadroddion cyffredin.
Il y a *Mae yna*
Ça y est! *Dyna ni! – 'Rydw i wedi gorffen!'*

Mae'r holl ragenwau gwrthrychol yn dod o flaen y ferf

Mae'r rhagenwau hyn bob amser yn dod o flaen y ferf. Os ydych yn defnyddio dau ragenw gwrthrychol yn yr un frawddeg, mae'r ddau yn dod o flaen y ferf, ond rhaid eu gosod mewn trefn arbennig. Mae hyn ychydig yn anodd felly rhaid i chi ddysgu'r drefn:

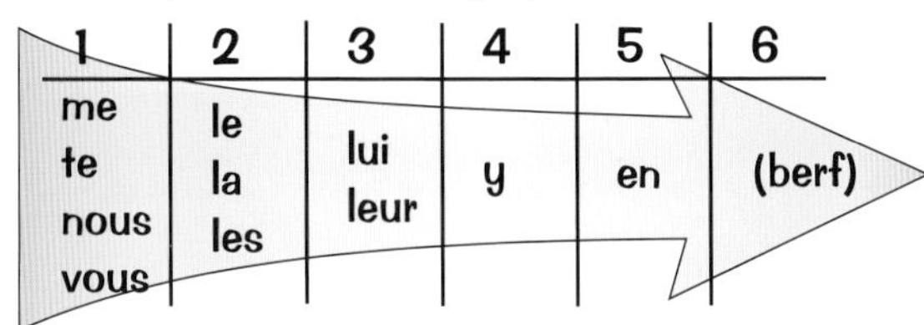

1	2	3	4	5	6
me te nous vous	le la les	lui leur	y	en	(berf)

Enghreifftiau: Il me les donne — Mae o'n eu rhoi nhw i mi.
Je le lui ai donné — Fe wnes i ei roi iddo.

Os byddwch yn defnyddio ffurf negyddol, mae'r '*ne*' yn dod o flaen y rhagenw gwrthrychol, ac mae'r '*pas*' yn dilyn y ferf.
Enghraifft: Je ne les mange pas — Dydw i ddim yn eu bwyta.

Mae'n rhaid cyfaddef fod y gwaith hwn yn eithaf anodd ond bydd raid i chi ddeall y geiriau hyn pan fyddant yn cael eu defnyddio. Ond os gallwch chi eu defnyddio byddwch yn creu argraff ar yr Arholwyr ac yn ennill mwy o farciau. Rydych yn gwybod y drefn erbyn hyn. Dysgwch, cuddiwch y dudalen ac ysgrifennwch.

RHAGENWAU DANGOSOL A RHAGENWAU AMHENDANT

Yma ac yna, rhywbeth a rhywun

Mae pwyntio at bethau mewn siopau ac egluro'n union am beth rydych chi'n siarad yn bwysig.

Sut mae dweud 'y peth yma' neu 'y pethau yma'

Defnyddiwch 'ce', 'cet' ... o flaen gair arall, i ddweud pethau fel 'y dyn hwn', 'yr afalau yma' – h.y. pan ydych chi'n defnyddio 'hwn'/'hon'/'yma' fel ansoddeiriau. Os ydych chi eisiau defnyddio 'hwn'/'hon' ar ei ben ei hun, edrychwch ar y rhan nesaf.

Chi gythreuliaid gramadeg: yr enw ar y rhain yw 'ansoddeiriau dangosol'.

gwrywaidd unigol	gwrywaidd unigol o flaen llafariad neu h fud	benywaidd unigol	lluosog
ce	**cet**	**cette**	**ces**

ENGHREIFFTIAU:

ce stylo	cet oiseau	cette maison	ces pommes
y pin ysgrifennu hwn/yma	*yr aderyn hwn/yma*	*y tŷ hwn/yma*	*yr afalau hyn/yma*

Mae pethau'n wahanol os yw'r 'hwn'/'hon'/'hyn' yn enw

Pan fyddwch yn dweud rhywbeth fel 'fi biau hwn', byddwch yn defnyddio 'hwn' fel enw (gweler top tudalen 77).

Tabl 'hwn'/'hon'/'hyn' 'ar-eu-pennau-eu-hunain'

gwrywaidd unigol	gwrywaidd lluosog	benywaidd unigol	benywaidd lluosog
celui	**ceux**	**celle**	**celles**

Chi gythreuliaid gramadeg: 'rhagenwau dangosol' yw'r rhain

1) Fel arfer ni ddefnyddir y geiriau hyn ar eu pennau eu hunain – bron bob tro ychwanegir '-ci' neu '-là' at ddiwedd y geiriau.
2) Mae ychwanegu '-ci' yn rhoi'r ystyr 'yr un yma'/'yr un yma yn y fan yma' ac mae '-là' yn rhoi'r ystyr 'yr un yna'/'yr un yna yn (y) fan yna/acw'.

ENGHRAIFFT: J'ai deux chiens. Celui-ci est mignon, mais celui-là est méchant.
Mae gen i ddau gi. Mae'r un yma yn annwyl, ond mae'r un yna yn gas.

NEU os nad ydych chi'n pwyntio at rywbeth, gallwch ddefnyddio'r geiriau canlynol:

ceci = hwn/hon/hyn
cela = hwnna, honna, hynny, hynna
ça = hwn, hon, hwnna, honna, hyn, hynny

ENGHREIFFTIAU:
Cela n'est pas vrai. *Nid yw hynny'n wir.*
Lisez ceci. *Darllenwch hwn.*

Quelque chose – Rhywbeth   *Quelqu'un* – Rhywun

Vous voulez quelque chose?
= Ydych chi eisiau rhywbeth?

Il y a quelque chose dans mon sac.
= Mae 'na rywbeth yn fy mag.

Quelqu'un a pris l'argent.
= Cymerodd rhywun yr arian.

Ils cherchent quelqu'un de très gros.
= Maen nhw'n chwilio am rywun tew iawn.

Rhaid cyfaddef fod y gwaith ar 'hwn', 'hon', 'yma' ac ati yn eithaf anodd. Ond mae'r gwaith ar 'rhywbeth' a 'rhywun' yn ddigon syml. A chofiwch bod y geiriau 'hwn'/'hon', ac ati i gyd yn eithaf tebyg felly nid yw pethau cyn waethed â hynny. Daliwch ati i ymarfer y gwaith a byddwch yn teimlo'n llawer mwy hyderus.

Ffeithiau am ferfau

BERFAU, AMSERAU A'R BERFENW

Mae'n rhaid i chi ddysgu am ferfau – maen nhw'n gwbl hanfodol.
Dysgwch y gwaith ar y dudalen yma a bydd Ffrangeg TGAU yn ymddangos yn llawer haws.

Geiriau sy'n dynodi gweithred yw berfau – maen nhw'n dweud wrthych beth sy'n digwydd

Rhain yw'r berfau.

Mae nain Arwyn yn chwarae pêl-droed bob dydd Sadwrn.

Mae Arwyn yn dymuno i'w nain ddechrau gwau.

Mae hon hefyd yn ferf.

Mae llawer iawn o bethau y dylech eu gwybod am ferfau, ond dyma'r ddau brif beth ...

1) Ceir geiriau gwahanol ar gyfer gwahanol amserau

Rydych chi'n dweud rhywbeth yn wahanol os yw wedi digwydd yr wythnos ddiwethaf neu os bydd yn digwydd yfory.

WEDI DIGWYDD YN BAROD
Fe es i Tibet y flwyddyn ddiwethaf.
Rydw i wedi bod yn Tibet.
Roeddwn i wedi bod yn Tibet.
GORFFENNOL

YN DIGWYDD NAWR
Rydw i'n mynd i Tibet.
Af i Tibet.
PRESENNOL

DDIM WEDI DIGWYDD ETO
Rydw i'n mynd i Tibet ddydd Llun.
Fe af i Tibet.
Fe fyddaf yn mynd i Tibet.
DYFODOL

Mae'r rhain i gyd yn amserau gwahanol

2) Ceir geiriau gwahanol ar gyfer gwahanol bobl

Rydych yn newid y ferf i gytuno â'r person sy'n gwneud y weithred.

DIGWYDD I MI	DIGWYDD I TI	DIGWYDD IDDI HI
Rydw i'n ddigalon.	*Rwyt ti'n ddigalon.*	*Mae hi'n ddigalon.*

Dyma enghreifftiau i godi calon!

Mae'n amlwg felly fod berfau yn hynod o bwysig. Rydych yn eu defnyddio drwy'r adeg, felly mae'n rhaid i chi ddysgu'r holl waith yma. Dyma pam yr ydym yn rhoi cymaint o sylw iddynt ar dudalennau **88-89**.

Chwilio am ferfau yn y geiriadur

Os ydych chi eisiau dweud 'Rydw i'n dawnsio' mewn Ffrangeg, y peth cyntaf i'w wneud yw chwilio am 'dawnsio' yn y geiriadur. Ond cofiwch, ni allwch ddefnyddio'r gair cyntaf fyddwch chi'n ei ddarganfod – mae pethau'n fwy cymhleth na hynny ...

Wrth chwilio am ferf mewn geiriadur, dyma beth gewch chi:

Chi gythreuliaid gramadeg: berfenw yw'r enw ar hwn.

rhoi: donner
mynd: aller

Mae'n rhaid i chi newid y ffurf yma er mwyn i'r ferf gytuno â'r person a'r amser sydd dan sylw.

Mae llawer am ferfau ar dudalennau 88-99 – dysgwch bopeth nawr er mwyn i chi eu cael yn gywir yn yr arholiad.

Mae'n rhaid i chi sylweddoli fod berfau yn arbennig o bwysig. Bydd llawer o waith am ferfau ar y tudalennau nesaf oherwydd bod llawer o bethau y dylech eu gwybod. Mae rhywfaint o'r gwaith yn hawdd, a rhywfaint yn anodd. Cyn mynd ymlaen, fodd bynnag, mae'n rhaid i chi ddeall yr hyn sydd ar y dudalen hon.

Amser Presennol

Berfau yn yr amser presennol

Gan amlaf mae'r amser presennol yn golygu pethau sy'n digwydd nawr. Ond mae'n codi ei ben hefyd yn yr amser dyfodol agos (gweler tudalen 19) a hefyd pan ydych yn defnyddio 'Depuis quand ...?' (gweler tudalen 30).

Yr amser presennol yw'r hyn sy'n digwydd nawr

Rydych chi'n defnyddio'r amser presennol fwy nag unrhyw amser arall, felly mae'n wirioneddol bwysig.

I ffurfio'r presennol mae'n rhaid i chi ychwanegu 'terfyniadau' at 'fôn' y ferf.
Yn achos yr amser presennol, mae'n ddigon hawdd darganfod y 'bôn':

Fformiwla sy'n rhoi Bôn yr Amser Presennol

bôn = berfenw – y ddwy lythyren olaf

Enghreifftiau

Berfenw	regarder	finir	vendre
Bôn	regard	fin	vend

Terfyniadau berfau -er

Er mwyn ffurfio amser presennol berfau '-er' rheolaidd, ychwanegwch y terfyniadau canlynol at fôn y ferf – e.e.:

Nid yw'r rhan gyntaf ('regard') yn newid. → **regarder = gwylio**

Mwy am bryd i ddefnyddio 'tu' a 'vous' ar dudalen 84.

rydw i'n gwylio =	je	regard **e**	nous	regard **ons**	*= rydym ni'n gwylio*
rwyt ti'n gwylio =	tu	regard **es**	vous	regard **ez**	*= rydych chi'n gwylio*
mae o'n gwylio =	il	regard **e**	ils	regard **ent**	*= maen nhw'n gwylio (gwr. neu gyfuniad gwr. + ben.)*
mae hi'n gwylio =	elle	regard **e**	elles	regard **ent**	*= maen nhw'n gwylio (ben.)*
mae un/rhywun yn gwylio/ rydym ni'n gwylio =	on	regard **e**			

NODYN: mae terfyniad il, elle ac on bob amser yr un fath.

NODYN: mae terfyniad ils ac elles bob amser yr un fath.

Terfyniadau berfau -ir

NODYN: Gall yr amser presennol olygu 'Rydw i'n gwneud rhywbeth' yn ogystal â 'Gwnaf rywbeth'.... e.e. 'Rydw i'n gwylio'.

Er mwyn ffurfio amser presennol berfau '-ir' rheolaidd, ychwanegwch y terfyniadau canlynol at fôn y ferf – e.e:

Nid yw'r rhan gyntaf ('fin') yn newid. → **finir = gorffen**

rydw i'n gorffen =	je	fin **is**	nous	fin **issons**	*= rydym ni'n gorffen*
rwyt ti'n gorffen =	tu	fin **is**	vous	fin **issez**	*= rydych chi'n gorffen*
mae o/hi/mae un/rhywun/rydym ni yn gorffen =	il/elle/on	fin **it**	ils/elles	fin **issent**	*= maen nhw'n gorffen*

Terfyniadau berfau -re

Er mwyn ffurfio amser presennol berfau '-re' rheolaidd, ychwanegwch y terfyniadau canlynol at fôn y ferf – e.e.:

Nid yw'r rhan gyntaf ('vend') yn newid. → **vendre = gwerthu**

rydw i'n gwerthu =	je	vend **s**	nous	vend **ons**	*= rydym ni'n gwerthu*
rwyt ti'n gwerthu =	tu	vend **s**	vous	vend **ez**	*= rydych chi'n gwerthu*
mae o/hi/mae un/rhywun/ rydym ni yn gwerthu =	il/elle/on	vend	ils/elles	vend **ent**	*= maen nhw'n gwerthu*

Felly os ydych chi eisiau dweud rhywbeth fel 'Mae o/e'n gwylio'r teledu', mae'n hynod o hawdd:

NODYN: Nid oes terfyniad newydd ar gyfer il/elle/on.

1) Yn gyntaf tynnwch y rhan 'er': regard~~er~~

2) Yna ychwanegwch y terfyniad newydd: regard e

3) A – dyna ni! *Il regarde la télévision.* = Mae o'n gwylio'r teledu.

Y cwbl sydd angen i chi ei wneud yw dysgu terfyniadau berfau '-er', '-re' ac '-ir'. Nid ydyn nhw'n rhy anodd mewn gwirionedd oherwydd mae llawer ohonynt yr un fath – yn arbennig y rhai '-er'. Dysgwch nhw a defnyddiwch nhw!

Berfau yn yr amser presennol

Amser Presennol

Ar y dudalen ddiwethaf roeddech chi'n lwcus iawn gan fod y berfau i gyd yn rhai rheolaidd hawdd. Nawr dyma'r berfau afreolaidd annifyr. Mwynhewch!

Mae rhai o'r berfau mwyaf defnyddiol yn afreolaidd

Gelwir berfau nad ydynt yn dilyn yr un patrwm â'r berfau rheolaidd yn 'ferfau afreolaidd' (gwreiddiol ynte!). Yn anffodus, mae'r rhan fwyaf o'r berfau gwirioneddol ddefnyddiol yn afreolaidd. Dyma chwe berf y byddwch yn eu defnyddio amlaf ...

Mae 'être' yn golygu 'bod' – hon yw'r ferf bwysicaf! Felly dysgwch hi.

①

	être = bod
rydw i =	*je* suis
rwyt ti =	*tu* es
mae o/hi/mae un/rhywun/rydym ni =	*il/elle/on* est
rydym ni =	*nous* sommes
rydych chi =	*vous* êtes
maen nhw =	*ils/elles* sont

Bydd arnoch angen y ferf hon yn aml iawn – 'avoir' ('bod gan') Mae'n hawdd ei dysgu, felly does gennych ddim esgus.

②

	avoir = bod gan
mae gennyf i =	*j'ai*
mae gennyt ti =	*tu* as
mae ganddo ef/hi/mae gan un/rhywun/ mae gennym ni =	*il/elle/on* a
mae gennym ni =	*nous* avons
mae gennych chi =	*vous* avez
mae ganddyn nhw =	*ils/elles* ont

Mae 'faire' yn golygu 'gwneud'. Byddwch yn defnyddio'r ferf hon yn aml iawn hefyd.

③

	faire = gwneud
rydw i'n gwneud =	*je* fais
rwyt ti'n gwneud =	*tu* fais
mae o/hi/mae un/rhywun/ rydym ni yn gwneud =	*il/elle/on* fait
rydym ni'n gwneud =	*nous* faisons
rydych chi'n gwneud =	*vous* faites
maen nhw'n gwneud =	*ils/elles* font

'aller' = ('mynd'). Mae'n ddefnyddiol gallu dweud i ble'r ydych chi'n mynd a beth ydych chi'n mynd i'w wneud (gweler tudalen 90).

④

	aller = mynd
rydw i'n mynd =	*je* vais
rwyt ti'n mynd =	*tu* vas
mae o/hi'n mynd/mae un/rhywun/ rydym ni yn mynd =	*il/elle/on* va
rydym ni'n mynd =	*nous* allons
rydych chi'n mynd =	*vous* allez
maen nhw'n mynd =	*ils/elles* vont

Mae 'vouloir' yn golygu 'eisiau'.

⑤

	vouloir = eisiau
rydw i eisiau =	*je* veux
rwyt ti eisiau =	*tu* veux
mae o/hi eisiau/mae un/rhywun/ rydym ni eisiau =	*il/elle/on* veut
rydym ni eisiau =	*nous* voulons
rydych chi eisiau =	*vous* voulez
maen nhw eisiau =	*ils/elles* veulent

Mae 'devoir' yn golygu 'bod rhaid'.

⑥

	devoir = bod rhaid
mae'n rhaid i mi =	*je* dois
mae'n rhaid i ti =	*tu* dois
mae'n rhaid iddo ef/iddi hi/mae'n rhaid i un/rhywun/ i ni =	*il/elle/on* doit
mae'n rhaid i ni =	*nous* devons
mae'n rhaid i chi =	*vous* devez
mae'n rhaid iddyn nhw =	*ils/elles* doivent

Dwy ferf ar ôl ei gilydd

Weithiau bydd angen i chi ddweud 'rydym ni'n hoffi bwyta' yn hytrach na 'rydym ni'n bwyta' – felly bydd angen defnyddio dwy ferf. Rhaid i chi roi'r ferf gyntaf (sef 'hoffi') yn y ffurf gywir ar gyfer y person dan sylw, ond ar gyfer yr ail ferf (sef 'bwyta') dim ond y berfenw fydd ei angen arnoch.

Mwy am y berfenw ar dudalen 87.

rydym ni'n hoffi = *nous aimons* → *nous aimons manger* = rydym ni'n hoffi bwyta.

nofio: nager
rhedeg: courir
cysgu: dormir
darllen: lire
dawnsio: danser
pysgota: pêcher
helpu: aider
canu: chanter

Mae'r ffaith fod llawer o ferfau yn afreolaidd yn golygu llawer mwy o waith i chi. Ac wrth gwrs, y berfau mwyaf pwysig sy'n afreolaidd! Cofiwch hefyd pan ydych chi eisiau dweud 'Rydw i'n mynd i nofio', mae'r 'mynd' yn newid tra bo angen y berfenw (y gair yr ydych yn chwilio amdano yn y geiriadur) ar gyfer y rhan 'nofio'.

AMSER DYFODOL

Siarad am y dyfodol

Mae'n rhaid i chi siarad am bethau sy'n mynd i ddigwydd ar ryw adeg yn y dyfodol. Mae dwy ffordd bosibl o wneud hyn – ac mae'r ffordd gyntaf yn ddigon hawdd – felly dysgwch hon i ddechrau.

1) Gallwch ddefnyddio 'Rydw i'n mynd i ...' wrth sôn am y dyfodol

Mae hyn yn ddigon hawdd – felly does gennych ddim esgus.

+

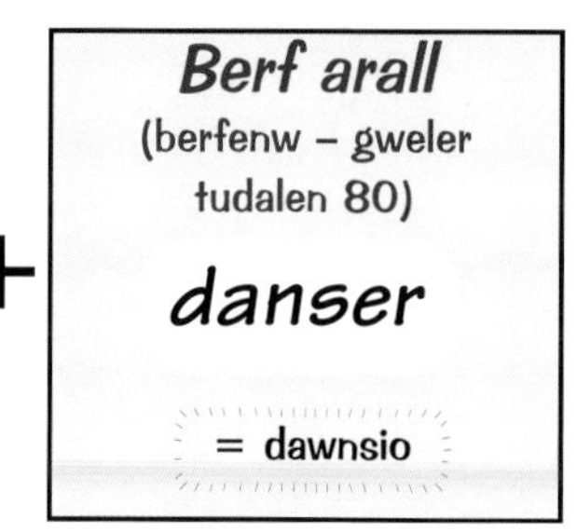

=

Brawddeg hawdd am y dyfodol:

Je vais danser.

= Rydw i'n mynd i ddawnsio.

ENGHREIFFTIAU: *Elle va jouer au tennis.* = Mae hi'n mynd i chwarae tenis.

Ychwanegwch ymadroddion sy'n dweud pryd ydych chi'n mynd i wneud rhywbeth (gweler tudalennau 2-3):

Samedi, nous allons aller en France. = Ddydd Sadwrn, rydym yn mynd i fynd i Ffrainc.

2) Mae'n rhaid i chi ddeall yr amser dyfodol 'cywir'

Mae'n rhaid i chi allu deall hwn. Os ydych eisiau marciau uchel bydd rhaid i chi allu ei ddefnyddio hefyd.

Mae hwn yn amser arall lle mae'n rhaid i chi ychwanegu terfyniadau at 'fôn' y ferf.

Terfyniadau'r Amser Dyfodol

fi:	je	-ai	nous	-ons	:ni
ti:	tu	-as	vous	-ez	:chi (lluosog a ffurfiol)
ef/hi/un/ni	il/elle/on	-a	ils/elles	-ont	:nhw

Mae'r amodol yn defnyddio'r un 'bôn' â'r dyfodol ond mae'r terfyniadau'n wahanol.

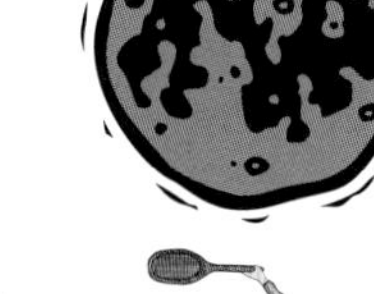

Byddwch yn falch o glywed fod y 'bôn' a ddefnyddir ar gyfer y gwahanol amserau yn eithaf hawdd:

1) Gyda berfau -er ac -ir rydych yn ychwanegu'r terfyniad at y berfenw (gweler tudalen 88).

ENGHREIFFTIAU: *Je jouerai au tennis.* = Byddaf yn chwarae tennis. *Tu dormiras.* = Byddi di'n cysgu.

2) Gyda berfau -re, rydych yn tynnu'r 'e' oddi ar ddiwedd y berfenw yn gyntaf, yna'n ychwanegu'r terfyniad.

ENGHREIFFTIAU: *Il prendra le bus.* = Bydd o'n cymryd y bws. *Nous vendrons le chien.* = Byddwn ni'n gwerthu'r ci.

3) Nid yw'r berfau canlynol yn dilyn y patrwm. Mae'n rhaid i chi eu dysgu ar eich cof.

Dyma'r rhai pwysicaf:

BERF	BÔN	BERF	BÔN
aller	ir	pouvoir	pourr
être	ser	devoir	devr
avoir	aur	dire	dir
faire	fer	vouloir	voudr

Dysgwch y rhain hefyd:

BERF	BÔN	BERF	BÔN
venir	viendr	savoir	saur
voir	verr	falloir	faudr
envoyer	enverr	mourir	mourr
recevoir	recevr	tenir	tiendr

Pethau anodd Pethau anodd Pethau anodd

Mae'r dyfodol cyntaf yn haws ei ddefnyddio gan mai'r ferf 'aller' ar y dechrau yw'r unig beth sy'n newid. Os gallwch ddefnyddio'r amser dyfodol yn eich papurau Siarad ac Ysgrifennu gorau oll! A hyd yn oed os na allwch ei ddefnyddio, gofalwch eich bod yn gallu ei ddeall rhag ofn iddo ymddangos yn y papurau Darllen a Gwrando.

Siarad am y gorffennol

Amser Perffaith

Nid yw hyn mor anodd â hynny. Y prif beth yw gofalu eich bod yn gallu gwahaniaethu rhwng hwn, y dyfodol (tudalen 90) a'r presennol (tudalen 88).

Qu'est-ce que tu as fait? – Beth wnest ti/Beth wyt ti wedi ei wneud?

Mae'n rhaid i chi allu llunio a deall brawddegau fel hyn:

Ceir dwy ran bwysig.

J'ai joué au tennis. = Rydw i wedi chwarae tennis/Fe wnes i chwarae tennis.

Chi gythreuliaid gramadeg: hwn yw'r Amser Perffaith

1) Mae'n rhaid i chi gael rhan sy'n golygu 'rydw i wedi' bob amser – gweler y dudalen nesaf.

2) Mae'r rhan yma'n golygu 'chwarae'. Mae'n fersiwn arbennig o 'jouer' (chwarae).

joué = chwarae: geiriau arbennig ar gyfer yr amser perffaith

Dysgwch y patrymau ar gyfer llunio'r geiriau gorffennol arbennig (rhangymeriadau), fel 'joué' (chwarae).

Chi gythreuliaid gramadeg: yr enw ar y rhain yw 'Rhangymeriadau Gorffennol'

berfau -er	berfau -ir	berfau -re
FFORMIWLA: Tynnwch '-er' ac ychwanegwch 'é'	FFORMIWLA: Tynnwch '-r'	FFORMIWLA: Tynnwch '-re', yna ychwanegwch 'u'
ENGHREIFFTIAU: jouer → joué (chwarae)	ENGHREIFFTIAU: partir → parti (gadael)	ENGHREIFFTIAU: vendre → vendu (gwerthu)
aller → allé (mynd)	choisir → choisi (dewis)	attendre → attendu (disgwyl)

Nid yw pob berf yn dilyn y patrymau. Mae hyn yn anffodus gan fod llawer o'r berfau mwyaf defnyddiol yn afreolaidd – ac mae'n rhaid i chi eu dysgu ar eich cof:

Berf	Fersiwn Amser Gorffennol*	Cyfeithiad
avoir:	eu	cael
boire:	bu	yfed
conduire:	conduit	gyrru
connaître:	connu	adnabod
courir:	couru	rhedeg
craindre:	craint	ofni
devenir:	devenu	mynd yn/dod yn
devoir:	dû	i fod i
dire:	dit	dweud
écrire:	écrit	ysgrifennu
être:	été	bod
faire:	fait	gwneud

Berf	Fersiwn Amser Gorffennol*	Cyfeithiad
lire:	lu	darllen
mettre:	mis	rhoi
mourir:	mort	marw
naître:	né	geni
ouvrir:	ouvert	agor
pouvoir:	pu	gallu
prendre:	pris	cymryd
rire:	ri	chwerthin
savoir:	su	gwybod
venir:	venu	dod
voir:	vu	gweld
vouloir:	voulu	eisiau

* h.y. rhangymeriad gorffennol

Nid yw'r dudalen hon yn hawdd – ond mae'r gwaith yn hynod o bwysig! Yn yr Arholiad byddwch yn sicr o orfod siarad neu ysgrifennu am rywbeth a ddigwyddodd yn y gorffennol. Gofalwch eich bod yn deall y pethau hawdd ar dop y dudalen. Wedyn ni fydd gweddill y gwaith hanner cynddrwg.

AMSER PERFFAITH

Siarad am y gorffennol

Roedd y dudalen ddiwethaf yn dangos y geiriau arbennig (rhangymeriadau gorffennol) a ddefnyddir wrth lunio'r amser perffaith. Nawr mae'n rhaid cyfuno hyn â'r geiriau 'rydw i wedi', ac ati i lunio brawddeg gyfan.

Er mwyn dweud 'rydw i wedi', ac ati rhaid defnyddio 'avoir' neu 'être'

Er mwyn ffurfio rhan gyntaf y brawddegau hyn sydd yn yr amser perffaith – sef y rhan 'fe wnes', 'fe wnaeth', ac ati rhaid defnyddio amser presennol 'avoir'. (gweler tudalen 89)

ENGHREIFFTIAU:

Tu as joué au tennis. = Gwnest ti chwarae tennis.

Elle a joué au tennis. = Gwnaeth hi chwarae tennis.

Nous avons joué au tennis. = Gwnaethom ni chwarae tennis.

avoir = bod gan

mae gennyf i =	j'ai
mae gennyt ti =	tu as
mae ganddo ef/hi/mae gan un/rhywun/gennym ni =	il/elle/on a
mae gennym ni =	nous avons
mae gennych chi =	vous avez
mae ganddyn nhw =	ils/elles ont

Ond wrth gwrs, mae rhai eithriadau eto, er mwyn drysu pethau ... Gyda'r 15 berf isod mae'n rhaid i chi ddefnyddio 'être' yn lle 'avoir'. Yn gyffredinol mae'r berfau hyn yn cyfleu symudiad.

Berf	Rhangymeriad Gorffennol	Cyfieithiad
1) aller:	allé	mynd
2) rester:	resté	aros
3) venir:	venu	dod
4) devenir:	devenu	dod/mynd yn
5) arriver:	arrivé	cyrraedd
6) partir:	parti	gadael
7) sortir:	sorti	mynd allan
8) entrer:	entré	mynd i mewn
9) monter:	monté	mynd i fyny
10) descendre:	descendu	mynd i lawr
11) rentrer:	rentré	dod adref
12) retourner:	retourné	mynd yn ôl/dychwelyd
13) tomber:	tombé	disgyn
14) naître:	né	geni
15) mourir:	mort	marw

Mae'n rhaid i chi ddefnyddio 'être' hefyd gyda berfau atblygol – gweler tudalen 94.

être = bod

rydw i =	je suis
rwyt ti =	tu es
mae o/hi/ mae un/rhywun/ rydym ni =	il/elle/on est
rydym ni =	nous sommes
rydych chi =	vous êtes
maen nhw =	ils/elles sont

ENGHREIFFTIAU:

Beth yw pwrpas yr 'e' yma? - gweler isod.

Je suis allé(e) au cinéma. = Fe wnes i fynd i'r sinema/rydw i wedi bod yn y sinema.

Il est arrivé. = Mae o wedi cyrraedd.

Tu es devenu(e) très laid(e). = Rwyt ti wedi mynd yn hyll iawn.

Pan fydd 'être' yn ferf gynorthwyol mae'n rhaid i'r rhangymeriad gorffennol gytuno:

Pan fyddwch yn defnyddio 'être' i ffurfio'r amser perffaith, mae'n rhaid i'r rhangymeriad gorffennol gytuno â goddrych y ferf, yn union fel ansoddair.

Ychwanegwch e os yw'r goddrych yn fenywaidd unigol
Ychwanegwch s os yw'r goddrych yn wrywaidd lluosog
Ychwanegwch es os yw'r goddrych yn fenywaidd lluosog

L'été dernier *il* est allé en France.
Yr haf diwethaf aeth o i Ffrainc.

L'été dernier *ils* sont allés en France.
Yr haf diwethaf aethant (gwr. lluos.) i Ffrainc.

L'été dernier *elle* est allée en France.
Yr haf diwethaf aeth hi i Ffrainc.

L'été dernier *elles* sont allées en France.
Yr haf diwethaf aethant (ben. lluos.) i Ffrainc.

Mae gramadeg Ffrangeg yn golygu llawer o waith dysgu. Mae'n rhaid i chi ddysgu gwahanol ffurfiau 'avoir' – ond mae hynny yr un fath â ffurfiau'r amser presennol. Cofiwch hefyd ddysgu'r 15 berf sy'n cymryd 'être'.

'Roeddwn i'n gwneud' neu 'Roeddwn i'n arfer gwneud' — AMHERFFAITH

Dyma dudalen arall yn llawn o ferfau – a dyma amser arall sy'n sôn am y gorffennol – ond mae hwn yn wahanol.

Il y avait ... - Roedd yna ... C'était ... – Roedd yn...

'Il y avait' yw fersiwn amser gorffennol 'il y a' – gallwch ei ddefnyddio i ddweud 'roedd yna' yn hytrach na 'mae yna'. Ac yn lle defnyddio 'c'est' (mae'n), gallwch ddefnyddio 'c'était' (roedd yn).

ENGHREIFFTIAU:

Il y a un singe dans l'arbre. = Mae mwnci yn y goeden.

Il y avait un singe dans l'arbre. = Roedd mwnci yn y goeden.

C'est trop cher. = Mae'n rhy ddrud.

C'était trop cher. = Roedd yn rhy ddrud.

Beth oeddech chi'n ei wneud neu'n arfer ei wneud

Mae 3 cham syml wrth ffurfio'r amser hwn:

Chi gythreuliaid gramadeg: Hwn yw'r AMSER AMHERFFAITH

1) Cymerwch ffurf 'nous' amser presennol y ferf dan sylw (gweler tudalen 88).
2) Tynnwch y terfyniad '-ons'.
3) Ychwanegwch y terfyniad cywir:

Peidiwch â chymysgu hyn â'r amser amodol – mae'r ddau amser yn defnyddio'r un terfyniadau (gweler tudalen 96).

Terfyniadau'r Amser Amherffaith

fi:	*je*	-ais	nous	-ions	*:ni*
ti:	*tu*	-ais	vous	-iez	*:chi*
ef/hi/un:	*il/elle/on*	-ait	ils/elles	-aient	*:nhw*

ENGHREIFFTIAU:

Roeddwn i'n gwneud/arfer gwneud: nous fais~~ons~~ → je faisais
Roedd o'n siarad/arfer siarad: nous parl~~ons~~ → il parlait
Roeddem ni'n mynd/arfer mynd: nous all~~ons~~ → nous allions

NEWYDDION HYNOD O DDA:
Dim ond un ferf afreolaidd sydd – sef 'être'.
Mae 'être' yn defnyddio'r un terfyniadau amherffaith, ond y bôn yw 'ét' (sy'n wahanol iawn i 'nous sommes').

	être = bod
roeddwn i =	*j'*étais
roeddet ti =	*tu* étais
roedd ef/hi/roedd un =	*il/elle/on* était
roeddem ni =	*nous* étions
roeddech chi =	*vous* étiez
roedden nhw =	*ils/elles* étaient

Pryd mae angen defnyddio'r amherffaith

Rydych yn defnyddio'r amser hwn i ddweud beth oedd yn digwydd neu beth oeddech chi'n arfer ei wneud.

1) Beth oeddech chi'n arfer ei wneud fel rheol yn y gorffennol:

J'allais au cinéma tous les jeudis. = Roeddwn i'n arfer mynd i'r sinema bob dydd Iau.

2) Disgrifiadau o bethau yn y gorffennol, yn cynnwys beth oedd yn digwydd pan ddigwyddodd rhywbeth arall:

Il pleuvait. = Roedd hi'n bwrw glaw.

J'ai pris une photo pendant qu'elle dormait. = Fe gymerais i lun tra'r oedd hi'n cysgu.

Defnyddiwch yr Amser Perffaith (gweler tudalennau 91-2) ar gyfer y prif ddigwyddiad, a'r Amser Amherffaith ar gyfer y sefyllfa ar y pryd.

Mae'n rhaid i chi wybod am yr amser amherffaith neu fyddwch chi ddim yn deall beth fydd pobl yn ei ddweud pan fyddant yn dweud pethau fel 'J'avais' neu 'Je lisais'.

BERFAU ATBLYGOL

Fi fy hun, ti dy hun, ac ati

Weithiau mae'n rhaid i chi siarad am bethau rydych chi'n eu gwneud i chi eich hun – fel ymolchi neu ddeffro yn y bore.

Siarad amdanoch chi eich hun – me, te, se, ...

Mae 'se' yn golygu 'eich hun'. Dyma'r holl ffyrdd gwahanol o ddweud 'hun'/'hunan':

Gallwch ddarganfod pa ferfau sydd angen 'se' drwy edrych yn y geiriadur. Os byddwch yn chwilio am 'ymolchi' bydd yn dweud 'se laver'.

se = un/rhywun ei hunan

fi fy hun:	me		
ti dy hun:	te	*ni ein hunain:*	nous
ef ei hun:	se	*chi eich hunain:*	vous
hi ei hun:	se	*nhw eu hunain:*	se
un/rhywun ei hunan:	se		

Je me lave – Rydw i'n ymolchi

Mae angen i chi siarad am eich rwtîn boreol (sef y pethau ydych chi'n eu gwneud wrth godi yn y bore), a phethau eraill sy'n dweud beth ydych chi'n ei wneud i chi eich hun.

Berfau atblygol yw rhain

se laver = ymolchi

rydw i'n ymolchi =	je me lave	nous nous lavons	*= rydym ni'n ymolchi*
rwyt ti'n ymolchi =	tu te laves	vous vous lavez	*= rydych chi'n ymolchi*
mae o'n ymolchi =	il se lave	ils/elles se lavent	*= maen nhw'n ymolchi*
mae hi'n ymolchi =	elle se lave		
mae un/rhywun yn ymolchi =	on se lave		

Mae amryw o'r berfau hyn, ond dyma'r rhai y dylech eu gwybod ar gyfer yr Arholiad. Dysgwch nhw!

Y 10 BERF ATBLYGOL PWYSICAF	ENGHREIFFTIAU
mwynhau: s'amuser	Il s'amuse. = *Mae o'n ei fwynhau ei hun.*
mynd i'r gwely: se coucher	Je me couche à onze heures. = *Rydw i'n mynd i'r gwely am 11 o'r gloch.*
codi: se lever	Je me lève à huit heures. = *Rydw i'n codi am 8 o'r gloch.*
teimlo: se sentir	Tu te sens mal? = *Wyt ti'n teimlo'n sâl?*
fy enw ydy, ac ati: s'appeler	Je m'appelle Bob. = *F'enw i yw Bob (yn llythrennol: rydw i'n fy ngalw fy hun yn Bob)*
ymddiheuro: s'excuser	Je m'excuse ... = *Mae'n ddrwg gen i ..*
bod: se trouver	Où se trouve la banque? = *Ym mhle mae'r banc?*
cael ei sillafu: s'écrire	Comment ça s'écrit? = *Sut mae sillafu hynny?*
ymddiddori yn: s'intéresser à	Je m'intéresse au tennis. = *Mae gen i ddiddordeb mewn tennis*
digwydd: se passer	Qu'est-ce qui se passe? = *Beth sy'n digwydd?*

Pethau anodd

Je me suis lavé(e) – Rydw i wedi ymolchi/Ymolchais.

1) Mae amser perffaith y berfau hyn fwy neu lai yr un fath ag arfer (gweler tudalen 92) ac eithrio'r ffaith eu bod i gyd yn cymryd y ferf 'être' yn hytrach nag 'avoir'. Yr unig beth anodd yw gwybod ym mhle mae rhoi'r 'me', 'te' neu 'se', ac ati – ac mae'r rhain yn mynd yn union ar ôl 'je', 'tu' neu 'il', ac ati. (Mewn geiriau eraill maen nhw'n dod yn union o flaen 'être').

Je me suis lavé. — Rhowch 'me' yma. — Dyma'r rhan o 'être'.

2) Fel berfau eraill sy'n defnyddio 'être' yn yr amser perffaith, efallai y bydd raid i chi ychwanegu 'e' ac/neu 's', i gytuno â'r person sy'n gwneud y weithred. Os mai merch ydych chi, gofalwch eich bod yn ychwanegu 'e' pan fyddwch chi'n siarad amdanoch chi eich hun.

ENGHREIFFTIAU:
- *Je me suis lavée.* = Fe wnes i (ben.) ymolchi./Ymolchais.
- *Elle s'est lavée.* = Fe wnaeth hi ymolchi.
- *Ils se sont lavés.* = Fe wnaethon nhw ymolchi. (gwr. neu gymysgedd o gwr. a ben.)
- *Elles se sont lavées.* = Fe wnaethon nhw ymolchi. (ben.)

Pethau anodd

Byddai'n wirion peidio â dysgu'r rhain. Maen nhw'n eithaf syml unwaith y byddwch chi'n arfer â nhw, ac os byddwch yn eu cael yn gywir byddwch yn creu ARGRAFF DDA ar yr arholwyr. Daliwch ati i fynd drostynt nes byddwch yn eu gwybod ar eich cof. Cofiwch y camau pwysig: cuddiwch y dudalen, ysgrifennwch a gwiriwch ...

Sut mae dweud 'Na', 'Dim' a 'Neb'

Geiriau Negyddol

Mae'r rhan fwyaf o'r gwaith hwn yn ddigon hawdd.

Defnyddiwch 'ne ... pas' i ddweud 'nid'.

Yn Ffrangeg, mae'n rhaid i chi ychwanegu dau air bach 'ne' a 'pas' i newid brawddeg yn un negyddol.

Mae'r ddau air yn mynd bob ochr i'r ferf (gweler tudalen 87).

ENGHRAIFFT:

Je suis Bob. → *Je ne suis pas Bob.*

= Bob ydw i. — = Nid Bob ydw i.

Dyma'r ferf. Mae'r 'ne' yn mynd o flaen y ferf a'r 'pas' yn mynd ar ôl y ferf.

Mewn brawddegau yn yr amser perffaith, rydych chi'n rhoi'r 'ne' a'r 'pas' bob ochr i'r rhan o 'avoir' neu 'être' (gweler tudalen 92).

ENGHREIFFTIAU:

Je n'ai pas vu ça.

= Nid ydw i wedi gweld hyn'na.

Elle n'est pas arrivée.

= Nid ydy hi wedi cyrraedd.

Pethau anodd

Pethau anodd

Yn achos berfenw mae'r 'ne' a'r 'pas' yn mynd gyda'i gilydd

Mae'r 'ne' a'r 'pas' fel arfer yn mynd bob ochr i'r ferf.
OND os ydy'r ferf yn ferfenw (gweler tudalen 87) mae'r 'ne' a'r 'pas' yn mynd o'i blaen.

Je préfère voir un film. → + NE PAS → *Je préfère ne pas voir un film.*

= Mae'n well gen i weld ffilm. — = Mae'n well gen i beidio â gweld ffilm.

Pethau anodd

ne ... jamais – byth   ne ... rien – (d)dim byd

Mae mwy o rai y dylech eu deall, ac er mwyn cael marciau da dylech eu defnyddio hefyd.

Je ne vais plus à York.
= Dydw i ddim yn mynd i Efrog ddim mwy/rhagor.

Je ne vais jamais à York.
= Dydw i byth yn mynd i Efrog.

Je ne vais ni à York ni à Belfast.
= Dydw i ddim yn mynd i Efrog nac i Belfast.

(d)dim mwy/(d)dim rhagor: ne ... plus

byth: ne ... jamais

does ... (d)dim /na ... na: ne ... ni ... ni

neb: ne ... personne

(d)dim byd: ne ... rien

(d)dim ... un/'run/unrhyw: ne ... aucun(e)

Il n'y a personne ici.
= Does 'na neb yma.

Il n'y a rien ici.
= Does 'na ddim byd yma.

Il n'y a aucune banane.
= Does yna 'run banana.

Newyddion da – nid yw hyn mor anodd ag y mae'n ymddangos. Gallech dybio ei fod yn gymhleth oherwydd mae'n rhaid i chi gael dau air i ddweud 'ddim' – ond y cwbl sydd angen i chi ei wneud yw eu gosod bob ochr i'r ferf ONI BAI eich bod yn negyddu berfenw. Mae 'byth' a 'dim byd' yn dilyn yr un drefn, ond fel arfer dim ond eu hadnabod fydd disgwyl i chi ei wneud.

AMSER AMODOL AC AMODOL PERFFAITH

'Byddwn', 'Byddwn yn hoffi' a 'Byddwn i wedi'

Rhaid cyfaddef fod y gwaith hwn yn anodd. Ond mae'n bwysig felly dysgwch ef.

Je voudrais – Hoffwn

Dim ond deall gweddill y dudalen hon fydd raid i chi ei wneud, ond bydd rhaid i chi ddefnyddio 'je voudrais', ac mae'n ymddangos yn aml iawn. Rydych yn ei ddefnyddio i fod yn gwrtais, yn lle dweud 'Rydw i eisiau' drwy'r adeg.

Je voudrais du lait. = Hoffwn gael llaeth.

Je voudrais aller à l'hôpital. = Hoffwn fynd i'r ysbyty.

Peidiwch â chymysgu'r amodol â'r amherffaith a'r dyfodol

Mae'r amser amodol yn defnyddio'r un bôn â'r amser dyfodol (gweler tudalen 90), a therfyniadau'r amser amherffaith (gweler tudalen 93). Mae'n rhaid i chi fod yn effro iawn i ddarganfod yr amser hwn os bydd yn ymddangos mewn Arholiadau Darllen neu Wrando. Cofiwch beidio â'i gymysgu â'r amherffaith neu'r dyfodol. Dyma rai enghreifftiau er mwyn i chi ymgyfarwyddo ag ef.

DYFODOL: +	AMHERFFAITH: =	AMODOL:
Vous pourrez chanter. = Byddwch yn gallu canu.	*Vous pouviez chanter.* = Roeddech chi'n gallu canu.	*Vous pourriez chanter.* = Byddech chi'n gallu canu.
Tu devras m'écrire. = Bydd yn rhaid i ti ysgrifennu ataf fi.	*Tu devais m'écrire.* = Roeddet ti'n arfer gorfod ysgrifennu ataf fi.	*Tu devrais m'écrire.* = Dylet ti ysgrifennu ataf fi.
Elle ira en France. = Bydd hi'n mynd i Ffrainc.	*Elle allait en France.* = Roedd hi'n mynd i Ffrainc.	*Elle irait en France.* = Byddai hi'n mynd i Ffrainc.
Je mangerai du pain. = Byddaf yn bwyta bara.	*Je mangeais du pain.* = Roeddwn i'n bwyta bara.	*Je mangerais du pain.* = Byddwn i'n bwyta bara.

Gall y ffurf 'je' ('-ais') fod yn anodd i'w ddarganfod pan fyddwch yn gwrando, gan fod y terfyniad yn swnio'r un fath â therfyniad y dyfodol ('-ai'). Mae'n rhaid i chi feddwl beth yw ystyr gweddill y frawddeg a phenderfynu beth mae'r siaradwr yn ceisio ei ddweud: beth fyddai'n ei wneud ynteu beth fydd yn ei wneud.

J'aurais fait – Byddwn i wedi gwneud

Chi gythreuliaid gramadeg: hwn yw'r Amser Perffaith Amodol

Unwaith eto, dim ond deall yr amser hwn sydd raid i chi ei wneud. Mae'n debyg i'r Amser Perffaith (gweler tudalen 91) – sef yr amser a ddefnyddir i ddweud beth ydych chi wedi ei wneud, ond dyma'r amser sy'n dweud beth fyddech chi wedi ei wneud. Mae hwn hefyd yn cynnwys rhan o 'avoir' neu 'être' + rhangymeriad gorffennol, ond mae'r rhan o 'avoir' neu 'être' yn yr amser amodol.

J'aurais écrit une lettre. = Byddwn i wedi ysgrifennu llythyr.

Betty serait arrivée. = Byddai Betty wedi cyrraedd.

Yn y perffaith byddai'r rhain yn 'j'ai écrit' a 'Betty est arrivée', ond rydych yn newid 'ai' yn 'aurait' ac 'est' yn 'serait' er mwyn cael yr ystyron 'byddwn wedi', 'byddai wedi', ac ati.

Dim ond un gair newydd fydd angen i chi ei ddefnyddio yma. Ond peidiwch â meddwl fod dysgu hwn yn ddigon. Mae'n rhaid i chi ddysgu a deall gweddill y gwaith hefyd er na fydd angen i chi ei ddefnyddio.

Rhoi gorchmynion

GORCHMYNNOL

Mae'n wirioneddol raid i chi ddeall y gwaith ar y dudalen hon, ac os ydych chi eisiau marciau uchel bydd angen i chi allu ei ddefnyddio eich hun hefyd.

Rhaid i chi ddysgu'r gwaith hwn er mwyn rhoi gorchmynion i bobl eraill

Mae'r gwaith hwn yn ddigon hawdd. Mae'n union fel yr Amser Presennol (gweler tudalen 88) heb y ffurfiau 'tu', 'vous' a 'nous'. Er enghraifft, yn lle dweud 'vous dansez' (rydych chi'n dawnsio) rydych chi'n dweud 'dansez!' (dawnsiwch!).

Chi gythreuliaid gramadeg: yr enw ar hwn yw'r gorchmynnol.

Mae arnoch angen y rhain i ddweud wrth rywun am wneud rhywbeth. Penderfynu pa ffurf i'w defnyddio: 'tu' ynteu 'vous' – gweler tudalen 84.

Mae arnoch angen y rhain er mwyn gwahodd rhywun i wneud rhywbeth – er enghraifft 'Gadewch inni fynd' neu 'Gadewch inni ddawnsio'.

	ti: tu	chi: vous	Gadewch inni ...: nous
sortir (mynd allan)	sors! (dos allan)	sortez! (ewch allan!)	sortons (gadewch inni fynd allan!)

Edrychwch ar y terfyniadau hyn. Maen nhw i gyd yr un fath â'r amser presennol – hawdd!

ENGHREIFFTIAU: *Vendons la voiture!* = Gadewch inni werthu'r car!

Finissez vos devoirs! = Gorffennwch eich gwaith cartref!

Écoute ceci! = Gwranda ar hyn!

Yr eithriad yw unrhyw ffurf 'tu' sy'n gorffen ag 'es' (e.e. pob berf '-er') – lle mae'r 's' yn cael ei cholli.

Mae'r rhain yn afreolaidd. Nid ydynt yn debyg i'r amser presennol, felly mae'n rhaid i chi eu dysgu ar eich cof.

	ti: tu	chi: vous	gadewch i ni: nous
bod: être	sois (bydd)	soyez (byddwch)	soyons (gadewch inni fod)
bod gan: avoir	aie	ayez	ayons (gadewch inni gael)
gwybod: savoir	sache	sachez	sachons (gadewch i ni wybod)

Defnyddio 'ne' a 'pas' i ddweud beth na ddylech chi ei wneud

Rhowch 'ne' cyn y ferf a 'pas' ar ôl y ferf, fel arfer (gweler tudalen 95).

ENGHREIFFTIAU: *N'écoute pas!* = Paid â gwrando! *Ne vendez pas la voiture!* = Peidiwch â gwerthu'r car!

Mae pethau'n wahanol os oes rhagenw yn y frawddeg – gweler isod.

Defnyddiwch 'moi', 'toi', ac ati oni bai fod y frawddeg yn negyddol

Mewn brawddegau fel hyn lle ceir rhagenw (gweler tudalen 84), mae'n rhaid iddo fod yn rhagenw pwysleisiol (gweler tudalen 85). Ar ben hynny, mae'n rhaid i chi newid trefn y geiriau hefyd – rhowch y rhagenw ar ôl y ferf.

ENGHRAIFFT: = Rwyt ti'n codi. *Tu te lèves.* → *Lève-toi!* = Côd//Cwyd/Coda!

GWYLIWCH! Mewn brawddegau negyddol, rydych chi'n defnyddio rhagenwau arferol ac mae'r geiriau yn eu trefn arferol.

ENGHRAIFFT: = Dwyt ti ddim yn codi. *Tu ne te lèves pas.* → *Ne te lève pas!* = Paid â chodi!

Pethgau anodd

Nid yw gorchmynion mor ddrwg â hynny er eu bod yn edrych yn eithaf cymhleth. Mae'r gorchmynnol yn union fel yr amser presennol rydych wedi ei ddysgu'n barod (gobeithio!) ac rydych yn defnyddio 'ne ... pas' yn union yn y ffordd arferol i ddweud wrth bobl am beidio â gwneud rhywbeth. Yr unig ran anodd ar y dudalen yw'r rhan ar ragenwau.

SAVOIR, CONNAÎTRE A POUVOIR

Gwybod a gallu

Dyma dair berf fydd yn peri dryswch yn aml – felly dysgwch nhw'n syth!

'Gwybod' yw 'Savoir'

1) Mae 'savoir' yn golygu '*gwybod sut i'/ 'medru*', yn yr ystyr eich bod chi wedi dysgu gwneud rhywbeth (fel canu'r piano), neu wybod ffeithiau (e.e. gwybod pryd y bydd bws yn gadael).

Edrychwch ar yr enghreifftiau hyn:

Elle *sait* la réponse à la question.	*Mae hi'n gwybod yr ateb i'r cwestiwn.*
Tu *sais* la leçon.	*Rwyt ti'n gwybod y wers.*
Je ne *sais* pas si nous avons des bananes.	*Dydw i ddim yn gwybod a oes gennym fananas.*
Savez-vous l'heure du train?	*Wyddoch chi pryd mae'r trên yn cyrraedd?*

2) Pan fydd y ferf *savoir* yn cael ei dilyn gan *ferfenw* mae'n golygu '*gwybod sut i'/'medru gwneud rhywbeth*', yn yr ystyr o ddawn/sgìl, e.e.:

Il *sait* faire du ski.
Mae o'n medru sgïo.

Elle ne *sait* pas lire.
Nid yw hi'n medru darllen.

Je *sais* conduire.
Rydw i'n medru gyrru.

'Bod yn gyfarwydd â' yw 'connaître'

Mae connaître yn golygu adnabod rhywun neu rywle – '*bod yn gyfarwydd â*' – os yw rhywun yn gofyn i chi a ydych chi'n adnabod eu ffrind Olwen, dyma'r ferf y dylech ei defnyddio.

Je *connais* Paris. — *Rydw i'n adnabod Paris.*
Il ne *connaît* pas cette ville. — *Nid yw'n adnabod y dref hon.*
Tu *connais* mon ami? — *Wyt ti'n adnabod fy ffrind?*

Pouvoir – gallu

Mae gan pouvoir (*gallu/medru*) dair ystyr bwysig iawn:

1) *Gallu* gwneud rhywbeth (nid gwybod sut i wneud rhywbeth, dim ond gallu gwneud rhywbeth –e.e. 'Ie, fe allaf i ddod yfory')

e.e. Je *peux* porter les bagages, si tu veux. — *Gallaf gario'r bagiau os hoffi di.*
Elle ne *peut* pas venir ce matin. — *Nid yw hi'n gallu dod y bore 'ma.*

2) *Caniatâd* i wneud rhywbeth.

e.e. On *peut* prendre des photos ici. *Gall un dynnu lluniau yma.*
Tu ne *peux* pas rester demain. *Dwyt ti ddim yn gallu aros yfory.*

3) *Posibilrwydd* – *gallai* rhywbeth fod.

e.e. Cela *peut* arriver. *Gall hynny ddigwydd.*

Gwahanol ffurfiau pouvoir

rydw i'n gallu/gallaf	je peux
rwyt ti'n gallu/	tu peux
mae o/hi'n gallu/mae un yn gallu	il/elle/on peut
rydym ni'n gallu	nous pouvons
rydych chi'n gallu	vous pouvez
maen nhw'n gallu	ils/elles peuvent

Tair berf arall y dylech eu dysgu. Peidiwch ag anghofio'r gwahaniaeth rhwng savoir a connaître, a gofalwch eich bod yn gwybod tair ystyr pouvoir. Mae hwn yn waith hynod o ddiddorol.

'Roedd ... wedi gwneud', 'yn gwneud' a 'newydd wneud'

AMSER GORBERFFAITH, RHANGYMERIAD PRESENNOL A VENIR DE

'J'avais fait' – roeddwn i wedi gwneud

Chi gythreuliaid gramadeg: dyma'r Amser Gorberffaith

1) Mae angen i chi allu deall y gwaith hwn pan fydd yn ymddangos yn yr Arholiadau Darllen neu Wrando.
2) Er ei fod yn debyg i'r Amser Perffaith (gweler tudalen 91) – sy'n dweud beth ydych chi wedi ei wneud, mae'r amser hwn yn dweud beth oeddech chi wedi ei wneud.
3) Mae hwn eto wedi ei ffurfio â rhan o 'avoir' neu 'être' + rhangymeriad gorffennol (gweler tudalen 92), ond mae'r rhan o 'avoir' neu 'être' yn yr amser amherffaith.

Mwy o wybodaeth am yr amser amherffaith ar dudalen 93

Amser amherffaith avoir/être + rhangymeriad gorffennol

ENGHREIFFTIAU:

J'avais écrit une lettre. = Roeddwn i wedi ysgrifennu llythyr.

Betty était arrivée. = Roedd Betty wedi cyrraedd.

Yn y perffaith mae'r rhain yn 'j'ai écrit' a 'Betty est arrivée', ond yma defnyddir 'avait' ac 'était' er mwyn cael yr ystyr 'roedd .... wedi'.

Mae 'yn gwneud', 'yn dweud', 'yn meddwl' yn rhangymeriadau presennol

Fel arfer byddech yn cyfieithu pethau fel 'Rydw i'n gwneud' a 'Roeddwn i'n gwneud' drwy ddefnyddio amserau normal – sef 'je fais' (amser presennol, gweler tudalen 87) a 'je faisais' (amser amherffaith, gweler tudalen 93).

Y peth gorau fyddai defnyddio'r rhangymeriad presennol yn y ddau achos arbennig isod yn unig, ond bydd raid i chi ei ddeall bob tro y byddwch yn ei weld/glywed yn yr Arholiadau Gwrando neu Ddarllen.

Ffurf 'nous' yn amser presennol y ferf -ons + ant

ENGHREIFFTIAU:

jou(ons) + ant →	jouant	*yn chwarae*
dis(ons) + ant →	disant	*yn dweud*
rougiss(ons) + ant →	rougissant	*yn cochi/gwrido*

ACHOSION ARBENNIG LLE DYLECH DDEFNYDDIO'R RHANGYMERIAD PRESENNOL:

1) Mae 'en' + rhangymeriad presennol yn golygu 'tra/drwy/wrth wneud rhywbeth':
e.e. Il lit le journal en déjeunant — *Mae o'n darllen y papur newydd wrth gael ei ginio.*

2) Gellir defnyddio'r rhangymeriad presennol hefyd fel ansoddair. Yn yr achos hwn, mae'n rhaid iddo gytuno â'r enw fel unrhyw ansoddair arall. e.e.: une dame charmante — *gwaig ddymunol*; des châteaux intéressants — *cestyll diddorol*

Je viens de ... – Rydw i newydd ...

Er mwyn dweud beth sydd newydd ddigwydd, defnyddiwch amser presennol 'venir' + 'de' + berf arall (berfenw) (gweler tudalen 87).

VENIR: dod

je viens	nous venons
tu viens	vous venez
il/elle vient	ils/elles viennent

ENGHREIFFTIAU:

Je viens de prendre une douche. = Rydw i newydd gael cawod.

Elle vient de partir. = Mae hi newydd adael.

DIWEDD Y GRAMADEG – RYDYCH CHI'N HAEDDU MEDAL!

CRYNODEB ADOLYGU

Crynodeb Adolygu

Mae'r gwaith yn yr adran hon yn eich helpu o ddifrif i osod geiriau gyda'i gilydd i ddweud yr hyn rydych chi eisiau ei ddweud. Y ffordd orau o sicrhau eich bod wedi dysgu'r gwaith yw drwy wirio a allwch chi ateb yr holl gwestiynau hyn. Rhowch gynnig ar bob un ohonynt ac os byddwch yn cael trafferthion wrth ateb rhai ohonynt ewch yn ôl i adolygu. Yna rhowch gynnig arall arnynt. Daliwch ati i wneud hyn nes byddwch yn gallu ateb pob un ohonynt. YNA byddwch yn gwybod y gwaith yn drylwyr.

1) Beth yw'r geiriau Ffrangeg am a) 'a', b) 'neu', c) 'ond', ch) 'oherwydd'?
2) Defnyddiwch y gair Ffrangeg am 'ac' i droi'r ddwy frawddeg hyn yn un frawddeg sy'n dweud 'Mae gen i aderyn a moronen.': 'J'ai un oiseau' = Mae gen i aderyn. 'J'ai une carotte.' = Mae gen i foronen.
3) Yn Ffrangeg rhowch y banodau pendant ac amhendant sy'n mynd â phob un o'r geiriau hyn: a) 'pied' (gwrywaidd) b) 'fleur' (benywaidd)
4) Sut fyddech chi'n dweud y canlynol yn Ffrangeg? a) Rydw i'n mynd i Lundain. b) Rydw i'n byw yn Abertawe.
5) Beth yw'r geiriau Ffrangeg am a) fy ngheffyl b) ein tŷ c) ei ddillad ch) ei thŷ
6) Mae'r frawddeg hon yn golygu 'Rydw i'n siarad Ffrangeg' – 'Je parle français.' Sut fyddech chi'n newid y frawddeg i olygu 'Rydw i'n siarad Ffrangeg yn dda'? Sut fyddech chi'n newid y frawddeg i olygu 'Rydw i'n siarad Ffrangeg yn dda iawn'?
7) Sut ydych chi'n dweud 'Mae Bob yn dalach na fi' yn Ffrangeg? Sut ydych chi'n dweud 'Bob yw'r talaf'?
8) Mae'r frawddeg hon yn golygu 'Rydw i'n siarad yn araf' – 'Je parle lentement'. Sut fyddech chi'n dweud 'Fi sy'n siarad fwyaf araf'?
9) Beth yw'r geiriau Ffrangeg am 'fi', 'ti', 'ef', 'hi', 'ni', 'chi' a 'nhw'?
10) Beth yw ystyr y geiriau Ffrangeg yma? a) 'me' b) 'te' c) 'lui' ch) 'leur'
11) Sut fyddech chi'n dweud y rhain yn Ffrangeg: a) Mae'r ci yma'n wyrdd. b) Mae'r cathod hyn yn las.
12) Beth yw ystyr y brawddegau hyn? a) J'aime les pommes, mais je n'aime pas celle-ci. b) Avez-vous un pantalon rouge? Ceux-là sont oranges.
13) Sut fyddech chi'n dweud y rhain yn Ffrangeg? a) mae gen i b) mae ganddi hi c) mae ganddyn nhw ch) rydw i d) mae o dd) rydym ni
14) Beth yw ystyr pob un o'r ymadroddion hyn? a) 'Je mange un gâteau' b) 'J'ai mangé un gâteau' c) 'Je mangeais un gâteau' ch) 'Je vais manger un gâteau' d) 'Je mangerai un gâteau' dd) 'Je mangerais un gâteau'
15) Sut fyddech chi'n dweud y rhain yn Ffrangeg? a) 'Rydw i'n hoffi bwyta teisen.' b) 'Byddaf yn bwyta teisen y flwyddyn nesaf.' c) 'Roeddwn i wedi bwyta teisen.'
16) Rhowch y rhangymeriadau gorffennol sydd ar goll. Mae'r cyntaf wedi ei wneud yn barod. a) gwneud = faire j'ai fait b) prynu = acheter j'ai .... c) gofyn = demander j'ai .... ch) gorffen = finir j'ai ...... d) gwerthu = vendre j'ai ....
17) Sut ydych chi'n dweud y rhain yn Ffrangeg? a) Rydw i wedi mynd. b) Rydw i wedi dod.
18) Mae'r frawddeg hon yn golygu 'Fy enw i ydy Jim' – 'Je m'appelle Jim'. Sut fyddech chi'n dweud y canlynol? a) Ei henw hi yw Sara b) Dy enw di yw Menna c) Ein henw ni yw Hopkins ch) Eich enw chi yw Williams.
19) Sut ydych chi'n dweud y rhain yn Ffrangeg? a) Dydw i ddim yn mynd allan. b) Dydw i byth yn mynd allan.
20) Sut ydych chi'n dweud y rhain yn Ffrangeg? a) Dos allan! b) Gadewch i ni fynd allan! c) Tyrd yma!
21) Ar gyfer pob un o'r geiriau hyn ysgrifennwch frawddeg yn Ffrangeg sy'n cynnwys y gair. a) rien b) ni ... ni
22) Beth yw ystyr y frawddeg hon? 'Je viens d'arriver.'
23) Ysgrifennwch y brawddegau hyn yn Ffrangeg: a) Rydw i newydd adael. b) Mae hi newydd ddweud 'helo'. c) Rydym ni newydd ddechrau.

A

à (à la, à l', au, aux) ardd. (tud. 83) yn, i, (ac ati)
l'abeille b. gwenynen
aboyer berf cyfarth
l'abricot g. bricyllen
absent(e) ans. absennol
l'accent g. acen
accepter berf derbyn
l'accident g. damwain
accompagner berf mynd/ dod gyda/ hebrwng
accueillir berf (tud. 14) croesawu
l'achat g. rhywbeth a brynwyd faire des achats berf mynd i siopa
acheter berf (tud. 47) prynu
l'acteur/actrice g./b. (tud. 32) actor/ actores
actif/active ans. bywiog
les actualités b.lluos. y newyddion
actuellement ad. ar y funud/ar hyn o bryd
l'addition b. bil (tŷ bwyta)
adorer berf. hoffi'n fawr
l'adresse b. (tud. 56) cyfeiriad
l'adulte g./b. oedolyn
l'aéroport g. (tud. 21-25) maes awyr
l'affaire b. mater, achos les affaires busnes
l'affluence b. cyfoeth
affreux/affreuse ans. (tud. 6,7) ofnadwy/dychrynllyd
l'Afrique b. (tud13) Affrica
l'âge g. oedran quel âge as-tu? faint yw dy oed di?
âgé(e) ans. hen, hynafol
l'agence de voyage b. swyddfa deithio
l'agent de police g. plismon/plismones
s'agir berf atb. ymwneud â il s'agit de ... mae'n fater o ...
l'agneau g. (tud. 48) oen
agréable ans. dymunol/braf
l'aide g./b. cynorthwywr/wraig
aider berf (tud. 58, 59, 89) helpu
aïe ebych. aw!
aigu/aiguë ans. main/miniog
ailleurs ad. rhywle arall
aimable ans. annwyl/hoffus/cyfeillgar
aimer berf (tud. 42, 49, 54) hoffi, caru
aimer mieux berf bod yn well gan ..., hoffi mwy
aîné(e) ans. hŷn (e.e. chwaer)
l'air g. awyr, ymddangosiad avoir l'air de berf ymddangos yn..
ajouter berf ychwanegu
l'alimentation b. (tud. 48) bwyd, nwyddau
l'allée b. llwybr, rhodfa
l'Allemagne b. Yr Almaen
l'allemand g. Almaeneg (yr iaith)
l'allemand(e) ans./g./b. (tud. 13) Almaeneg/Almaenwr/Almaenes
aller berf (tud. 88, 89, 91) mynd
comment vas-tu? sut wyt ti?
aller – s'en aller berf mynd i ffwrdd (gadael)
l'aller-retour g. (tud. 24) tocyn dwyffordd
l'aller-simple g. (tud. 24) tocyn sengl/ unffordd
allô ebych. Helô (ateb y ffôn)
s'allonger berf atb. ymestyn, gorwedd
allumer berf (tud. 15) rhoi (golau) ymlaen
l'allumette b. matsen
alors ad. felly
les Alpes b.lluos. yr Alpau (mynyddoedd)
l'alphabet g. yr wyddor
l'ambiance b. awyrgylch
améliorer berf gwella
amener berf dod/mynd â rhywun (gyda chi)
l'américain(e) ans./g./b. (tud. 13) Americanaidd, Americanwr, Americanes
l'ami(e) g./b. (tud. 18, 55) cyfaill, ffrind
amicalement ad. (tud. 66) mewn ffordd gyfeillgar
l'amitié b. (tud. 66) cyfeillgarwch
l'amour g. cariad
l'ampoule b. bwlb golau, pothell
amusant(e) ans. (tud. 33) difyr, doniol, hwyl
amuser berf diddanu, difyrru berf atb. mwynhau eich hun
l'an g. (tud. 3, 56) blwyddyn
l'ananas g. pinafal
ancien(ne) ans. (tud. 80) cyn
l'angine b. dolur gwddw, tonsilitis
l'anglais g. Saesneg (yr iaith)
l'anglais(e) ans./g./b. (tud.13) Saesneg, Sais, Saesnes
l'Angleterre b. Lloegr
l'animal g. anifail
l'animal domestique g. (tud. 55) anifail anwes
animé(e) ans. bywiog
l'année b. (tud. 3) blwyddyn
l'anniversaire g. (tud. 54) pen-blwydd
l'annonce b. cyhoeddiad, hysbyseb petites annonces mân hysbysebion
annoncer berf cyhoeddi
l'annuaire g. blwyddlyfr
annuler berf canslo, dileu
l'anorak g. anorac
l'antiseptique g. antiseptig
août g. (tud. 3) Awst
apercevoir berf sylwi
l'apéritif g. aperitif, diod cyn cinio
l'appareil g. (tud. 64) peiriant, ffôn
Jean à l'appareil Jean yn siarad
l'appartement g. (tud. 56, 57) fflat
appartenir berf (+à) perthyn (i)
appeler berf galw s'appeler berf atb. cael ei alw yn, ac ati
l'appétit g. archwaeth bôn appétit! ebych. mwynhewch/mwynha dy fwyd!
apporter berf dod â
apprendre berf (tud. 30) dysgu
s'approcher de berf atb. agosáu at
approuver berf cymeradwyo
appuyer berf gwthio, pwyso ar, cefnogi
après ardd. (tud. 34) ar ôl
après-demain ad. (tud. 2) drennydd
l'après-midi ad. prynhawn
l'arbitre g. dyfarnwr
l'arbre g. (tud. 57) coeden
l'argent g. (tud. 26, 39, 45) arian
l'argent de poche g. (tud. 47) arian poced
l'armoire b. (tud. 57) wardrob
l'arrêt g. (tud. 25, 56) arhosfan l'arrêt d'autobus arhosfan bysiau
arrêter berf stopio (rhywbeth)
s'arrêter berf atb. stopio
les arrhes b.lluos. blaendal (arian)
l'arrivée b. (tud. 24, 25) amser cyrraedd
arriver berf (tud. 24, 85) cyrraedd
arroser berf dyfrio, rhoi dŵr i (blanhigyn)
l'art g. (tud. 28) celf, celfyddyd
l'artichaut g. artisiog, marchysgallen
l'ascenseur g. (tud.14) lifft
l'aspirateur g. sugnydd llwch, hwfer
l'aspirine b. asbirin
assez ad. (tud. 23,39,50) eithaf, digon
l'assiette b. plât
assis(e) ans. yn eistedd
assister (à) berf bod yn bresennol (yn)
s'asseoir berf atb. (tud. 31,62) eistedd
l'assurance b. yswiriant
l'Atlantique g. Môr Iwerydd
attendre berf (tud. 91) disgwyl
l'attention b. sylw
attention! ebych. gwyliwch! bydd(wch) yn ofalus!
atterrir berf glanio
attraper berf dal
au ardd. = à le – gweler à
au revoir ebych. (tud. 62) hwyl fawr
l'auberge de jeunesse (tud. 14, 21) hostel ieuenctid
aucun(e) ans unrhyw ne ... aucun(e) ans. yr un ...
augmenter berf cynyddu
aujourd'hui ad. (tud. 2,12) heddiw
aussi ad. (tud. 79) hefyd, yn ogystal â, mor
l'auto b. car
l'autobus g. (tud. 25) bws
l'autocar g. (tud. 25) bws cyfforddus
l'auto-école b. ysgol yrru
l'automne g. hydref
l'autoroute b. (tud. 56) traffordd
l'auto-stop g. bodio, ffawdheglu
autour (de) ardd. (tud.17, 56) o amgylch
autre ans. (tud. 21, 44) arall
l'Autriche b. (tud.13) Awstria
autrichien(ne) ans./g./b. (tud.13) o Awstria, Awstriad
aux ardd. = à les – gweler à
avaler berf llyncu
en avance ad. yn fuan, yn gynnar
avant ardd. cyn, o flaen
l'avantage g. mantais
avant-hier ad. (tud. 2) echdoe
avec ardd. (tud. 51, 77) gyda avec ça? rhywbeth arall?
l'avenir g. dyfodol
l'avenue b. rhodfa
l'averse g. cawod (o law)
l'avion g. (tud.19,25) awyren en avion mewn awyren
l'avis g. (tud. 6) barn
l'avocat(e) g./b. cyfreithiwr(wraig)
avoir berf (tud. 88, 91, 97) bod gan
avril g. (tud. 3) Ebrill

B

le bac(calauréat) g. (tud. 34) baccalauréat (cyfateb i Lefel A)
les bagages g. lluos. bagiau
la baguette b. (tud. 45) baguette, ffon
se baigner berf atb. mynd i nofio, cael bath
la baignoire b. bath (twb)
le bain g. (tud.14, 58) bath
baisser berf gostwng
le bal g. dawns
balayer berf sgubo
le balcon g. (tud. 14) balconi
le ballon g. pêl
la banane b. (tud. 48) banana
la bande dessinée b. comic, cartŵn
la banlieue b. maestrefi
la banque b. (tud. 21) banc
bas(se) ans. isel en bas ad. i lawr grisiau
en bas de ardd. ar waelod
le basket g. pêl fasged
les baskets g.lluos. esgidiau ymarfer
le bateau g. (tud. 19, 25) cwch
le bâtiment g. (tud. 21) adeilad
bâtir berf adeiladu
la batterie b. (tud.36) batri, cit drymiau
battre berf curo
bavarder berf clebran
beau/belle ans. (tud. 7) hardd il fait beau mae'r tywydd yn braf
beaucoup (de) ans./ad. (tud.1, 50) llawer o, amryw
le beau-fils g. mab yng nghyfraith
le beau-frère g. brawd yng nghyfraith
le bébé g. babi
(le/la) belge ans./g./b. Belgaidd, Belgiad
la Belgique b. Gwlad Belg
la belle-fille b. merch yng nghyfraith
la belle-mère b. mam yng nghyfraith
la belle-soeur b. chwaer yng nghyfraith
avoir besoin de berf (tud. 58) bod angen
bête ans. gwirion, hurt, twp
le beurre g. (tud. 48,50) menyn
la bibliothèque b. (tud. 21) llyfrgell
le bic g. beiro
la bicyclette b. beic
le bidet g. bide
bien ad. (tud. 6, 81) yn dda
bien sûr ad. wrth gwrs
bientôt ad. (tud. 66) yn fuan à bientôt ebych. Hwyl fawr am y tro!
bienvenu(e) ans. i'w groesawu
la bière b. (tud. 48) cwrw
le bifteck g. (tud. 48) stêc
le bijou g. gem
le billet g. (tud. 24,38) tocyn
la biologie b. (tud. 28) bioleg
le biscuit g. (tud. 48) bisgeden
blanc(he) ans. (tud. 26, 30,45) gwyn
blessé(e) ans. wedi ei anafu/glwyfo
bleser berf anafu, clwyfo
bleu(e) ans. (tud. 26, 45,54) glas
le bloc sanitaire g. cyfleusterau ymolchi
blond(e) ans. (tud. 54) gwallt melyn
le blouson de cuir g. siaced ledr
le boeuf g. (tud. 48) bîff
bof! ebych. pa ots!
boire berf (tud. 91) yfed
le bois g. pren en bois o bren, wedi ei wneud o bren
la boisson b. (tud. 48) diod
la boîte aux lettres b. (tud. 65) blwch postio.
la boîte b. tun, can, bocs, blwch
le bol g. bowlen
bon anniversaire ebych. pen-blwydd hapus
bon appétit ebych. mwynhewch eich bwyd
bon marché ans. rhad
bon voyage ebych. siwrnai dda
bon(ne) ans. (tud. 7,37, 78) da
le bonbon g. (tud. 47) melysion, da-da,
le bonheur g. hapusrwydd
bonjour ebych. (tud. 62) dydd da, helo
bonne année ebych. Blwyddyn Newydd Dda
bonne chance ebych. lwc dda
bonne fête ebych. pen-bwydd hapus
bonne nuit ebych. nos da
bonsoir ebych. (tud. 62) noswaith dda
le bord g. ymyl au bord de la mer ar lan y môr
(le) Bordeaux g. Bordeaux/gwin o Bordeaux
la bouche b. (tud. 60) ceg
le/la boucher/bouchère g./b. cigydd/ cigyddes
la boucherie b. (tud. 21, 44, 48) siop gig
le bouchon g. corcyn
bouger berf symud
le/la boulanger/boulangère g./b. (tud. 32) pobydd/pobyddes
la boulangerie b. (tud. 21,44) siop fara
le boulevard g. bwlfard, rhodfa
Boulogne g. Boulogne
la boum b. parti
le bout g. diwedd au bout de ardd. ar ddiwedd/ar ben
la bouteille b. potel
la boutique b. siop fechan
le bouton g. botwm
le bras g. (tud. 60) braich
bravo ebych. da iawn! campus! gwych!
la Bretagne b. Llydaw
le bricolage g. mân waith (yn y cartref)
bricoler berf gwneud mân waith (yn y cartref)
briller berf (tud. 19) disgleirio
britannique b. Prydeinig
la brochure b. (tud. 17) taflen, pamffled
la brosse à dents b. brwsh dannedd
se brosser les dents berf atb. brwsio eich dannedd
le brouillard g. niwl
le bruit g. sŵn
brûler b. llosgi
la brume b. niwl, tarth
brumeux/brumeuse ans. niwlog
brun(e) ans. (tud. 45) brown
Bruxelles g./b. Brwsel
bruyant(e) ans. swnllyd
le buffet g. dreser
le bulletin g. bwletin
le bureau g. swyddfa
le bureau de change g. (tud. 25) cyfnewidfa arian tramor
le bureau de poste g. swyddfa bost
le bureau des renseignements g. gwasanaeth gwybodaeth
le bureau de tabac g. siop faco
le bureau de tourisme g. canolfan groeso
le bureau des objets trouvés g. swyddfa eiddo coll
le bus g. (tud.25, 29) bws

C

ça rhag. (tud.54,86) hynny, hynna …
ça fait mae hynny'n gwneud (pris)
ça va (tud. 4, 61, 62) sut hwyl?, rydw i'n iawn.
la cabine téléphonique b. (t. 64) ciosg ffôn
cacher berf cuddio
le cadeau g. anrheg
cadet(te) ans. iau (e.e. chwaer)
le café g. (tud. 48) coffi, caffi
le café-crème/café au lait g. (tud. 48) coffi gwyn
le café-tabac g. caffi (lle gellir prynu sigaréts)
la cafetière b. cafetière, pot coffi
le cahier g. llyfr nodiadau, llyfr ysgrifennu (ysgol)
a caisse b. cownter, desg dalu (siop)
le/la caissier(ère) g./b. dyn/gwraig desg dalu
Calais g. Calais
calme ans. (t. 23) tawel
le/la camerade g./b. ffrind
cambrioler berf torri i mewn
le camion g. lori
le camp g. (tud.14,15) gwersyll
la campagne b. y wlad, ymgyrch
camper berf (tud.14,15) gwersylla
le/la campeur/campeuse g./b. gwersyllwr(wraig)
le camping g. (tud.14,15) gwersyll
le Canada g. Canada
le canapé g. (tud. 57) soffa, brechdan agored
le canard g. hwyaden
le canif g. cyllell boced
la cantine b. ffreutur
car cysyllt. (tud. 7) oherwydd, gan
le car g. bws (cyfforddus)
la caravane b. (tud. 15) carafán
le carnet g. llyfr nodiadau carnet de chèques llyfr sieciau
la carotte b. (tud. 48) moronen
le carré g. sgwâr
le carrefour g. croesffordd
la carte b. (tud. 51) map, cerdyn, bwydlen
la carte bancaire b. cerdyn banc
la carte de crédit b. cerdyn credyd
la carte postale b. (tud. 65) cerdyn post
la carte routière b. map ffordd
la carte téléphonique b. cerdyn ffonio
le/la casse-pieds g/b. pla, poen (person)
casser b. torri
la casserole b. sosban
la cassette b. (tud. 36) casét (tâp)
la cathédrale b. (tud. 21) eglwys gadeiriol
la cave b. seler
le CD g. (tud. 36) cryno ddisg
ce, cet, cette, ces rhag. (tud. 86) hwn/yma, hon …
ceci rhag. (tud. 86) hwn (y peth yma)
la ceinture b. belt, gwregys
la ceinture de sauvetage b. gwregys achub
la ceinture de sécurité b. gwregys diogelwch
cela rhag. (tud. 37, 86) hwnna (y peth yna)
célèbre ans. enwog
célibataire ans. sengl (ddim wedi priodi)
celui, celle, ceux, celes rhag. (tud. 86) yr un yma, y rhain
celui-ci yr un yma
celui-là yr un acw
le centime g. (tud. 45) centime (arian Ffrainc – canfed rhan o Ewro)
le centimètre g. centimetr
le centre g. canol
le centre commercial g. (tud. 44, 56) canolfan siopa
le centre de loisirs g. (tud. 21, 36) canolfan hamdden
le centre sportif g. (tud. 36) canolfan chwaraeon
le centre-ville g. (tud. 25, 56) canol y ddinas/dref
les céréales b.lluos. (tud. 48) grawnfwydydd (e.e. brecwast)
la cerise b. ceiriosen
certainement ad. yn sicr
le CES = Collège d'enseignement secondaire g. ysgol uwchradd
c'est berf mae'n
c'est-à-dire cysyllt. hynny yw
ceux rhag. y rhain – gweler ce
chacun(e) rhag. pob un
la chaîne de télévision b. sianel deledu
la chaîne stéréo b. system stereo
la chaise b. (tud. 57) cadair
la chaleur b. gwres
la chambre b. (tud. 14, 57, 59) ystafell wely
chambre libre ystafell wag
la chambre individuelle/double b. (tud. 14) ystafell sengl/ddwbl
la chambre pour une personne/deux personnes (tud. 14, 15) ystafell sengl/ddwbl
le champ g. cae
le champignon g. (tud. 48) madarchen
la chance b. lwc bonne chance ebych. lwc dda
le changement g. newid

ad: adferf   ardd: arddodiad   rhag: rhagenw   ebych: ebychiad   cysyllt: cysylltair   ban: bannod

changer berf (tud. 24, 26) newid
la chanson b. (tud. 41) cân
chanter berf (tud. 36, 89) canu
le/la chanteur/chanteuse g./b. canwr/cantores
le chapeau g. (tud. 47) het
chaque ans. (tud. 1, 29, 37) pob un
la charcuterie b. (tud. 44) siop gig oer
charmant(e) ans. dymunol iawn
la chasse b. hela
le chat g. (tud. 55) cath
le château g. (tud. 21) castell, palas
chaud(e) ans. (tud. 12, 19, 61) poeth, cynnes
avoir chaud bod yn boeth il fait chaud mae hi'n boeth
le chauffage central g. gwres canolog
le chauffeur g. gyrrwr
la chaussée b. ffordd
la chaussette (tud. 47) hosan
la chaussure b. (tud. 47) esgid
le chef g. (tud. 32) pennaeth, le chef de cuisine g. pen-cogydd
le chemin de fer (tud. 24) rheilffordd
le chemin g. ffordd, llwybr
la cheminée b. simnai
la chemise b. (tud. 30, 47) crys
le chemisier g. blows
le chèque (de voyage) g. (tud. 26) siec deithio
cher/chère ans. cher ad. (tud. 66, 73) drud ça coûte cher mae'n costio'n ddrud
Cherbourg g. Cherbourg
chez ardd. (tud. 39, 56) chez moi/toi yn fy nhŷ i, dy dŷ di
le chien g. (tud. 55) ci
la chimie b. (tud. 28) cemeg
les chips g.lluos. (tud. 48) creision
le/la chirurgien(ne) g./b. llawfeddyg
le chocolat g. (tud. 48) siocled
le chocolat chaud g. siocled poeth
choisir berf (tud. 91) dewis
le choix g. dewis
le chômage g. diweithdra
le/la chômeur/chômeuse g./f. rhywun di-waith
la chose b. peth
le chou g. (tud. 48) bresychen
chouette ans. (tud. 6, 7, 23) gwych
le chou-fleur g. (tud. 48) blodfresychen
le cidre g. seidr
le ciel g. awyr, nefoedd
le cinéma g. (tud. 21, 37, 40) sinema
cinq a/m pump
la circulation b. traffig, trafnidiaeth
le cirque b. syrcas
les ciseaux g.lluos. siswrn
le citron g.(tud. 48) lemon citron pressé sudd lemon ffres gyda dŵr a siwgr
clair(e) ans. (tud. 54) golau (lliw), clir
la clarinette b. (tud. 36) clarinét
la classe b. dosbarth
classique ans. clasurol
la clé, clef b. (tud. 14) allwedd
le client g. cwsmer
le climat g. hinsawdd
le club g. clwb
le coca(-cola) g. Coca-Cola
le cocher g. cerbydwr
le cochon g. mochyn
le cochon d'Inde g. (tud. 55) mochyn cwta
le code postal g. côd post
le coeur g. calon
le coffre g. cist
le/la coiffeur/coiffeuse g./b. dyn/gwraig trin gwallt
le coin g. cornel dans le coin yma, yn yr ardal hon
le collant g. (tud. 47) teits
le colis g. parsel
la collection b. casgliad
collectionner berf (tud. 36) casglu
le collège g. (tud. 21, 29, 34) ysgol (uwchradd)
le collier g. mwclis
la colline b. bryn
la collision b. gwrthdrawiad
combien ad. (tud. 1, 5, 38) faint, sawl c'est combien? faint mae'n gostio?
comique ans. doniol
la commande b. archeb
commander berf archebu

comme ardd. (tud. 19, 62, 77) fel comme si fel pe comme ci comme ça gweddol, go lew
commencer berf (tud. 29) cychwyn
comment ad. (tud. 4, 23, 54) sut
le/la commerçant(e) g./b. dyn/gwraig fusnes
le commissariat g. gorsaf heddlu
la commission b. comisiwn
la compagnie b. cwmni, criw
comparer berf cymharu
le compartiment g. adran, rhaniad (trên)
complet/complète ans. llawn
compléter berf cwblhau
compliqué(e) ans. cymhleth
composer berf cyfansoddi
composter berf stampio (tocyn)
comprendre berf (tud. 31) deall
le comprimé g. tabled (i'w llyncu)
compris(e) ans. (tud. 52) cynhwysol, cynwysedig
non-compris(e) ddim yn gynwysedig
le/la comptable g./b. (tud. 32, 34) cyfrifydd
le compte g. cyfrif
compter berf cyfrif, rhifo
le comptoir g. cownter
le concert g. (tud. 36) cyngerdd
le/la concierge g./b. gofalwr(wraig)
le concombre g. (tud. 48) ciwcymber
le concours g. cystadleuaeth
le/la conducteur/conductrice g./b. gyrrwr/gyrwraig
conduire berf (tud. 91) gyrru
la confiance b. ffydd, hyder, ymddiriedaeth
la confiserie b. (tud. 21, 44) siop felysion
la confiture b.(tud. 48) jam
le confort g. cyfforddusrwydd
confortable ans. cyfforddus
le congé g. gweler jour de congé
le congélateur g. rhewgell
la connaissance b. (tud. 62) gwybodaeth, cydnabod
connaître berf (tud. 91) adnabod (e.e. rhywun)
conseiller berf cynghori
la consigne b. (automatique) (tud. 24) (loceri) gadael bagiau
construire berf adeiladu
consulter berf ymgynghori â
content(e) ans. hapus
continuer berf parhau
(le) contraire ans./g. y gwrthwyneb
contre ardd. (tud. 83) yn erbyn
contrôler berf gwirio (e.e. pasport)
le/la copain/copine g./b. ffrind
le coq g. ceiliog
le coquillage g. pysgodyn cragen, cragen
le corps g. (tud. 60) corff
correct(e) ans. cywir
la correspondance b. gohebiaeth
le/la correspondant(e) g./b. ffrind llythyru
correspondre berf ysgrifennu llythyrau
corriger berf cywiro
(le/la) corse ans/g./b. o Gorsica, person o Gorsica
la Corse b. Corsica
le costume g. siwt
la Côte d'Azur b. Côte d'Azur
la côte b. arfordir
la côtelette b. golwyth
le coton g. cotwm en coton wedi ei wneud o gotwm
le cou g. (tud. 60) gwddw
se coucher berf atb. mynd i'r gwely
coudre berf gwnïo
la couleur b. (tud. 45) lliw
le couloir g. (tud. 18) coridor
le coup de soleil g. llosg haul
le coup de téléphone g. (tud. 64) galwad ffôn
couper berf (tud. 61) torri
la cour b. iard, buarth
le courage g. dewrder bon courage ebych. lwc dda!
courir berf (tud. 36, 89, 91) rhedeg
le courrier g. post (llythyrau)
le cours du change g. cyfradd gyfnewid
le cours g. (tud. 29) gwers
les courses b.lluos. – faire les courses berf siopa

court(e) ans. (tud. 80) byr
le/la cousin(e) g./b. cefnder/cyfnither
le coussin g. clustog
le couteau g. cyllell
coûter berf (tud. 14, 17, 40) costio
le couvert g. (tud. 52) tâl am sedd
couvert(e) ans. cymylog
la couverture b. gorchudd, blanced
le crabe g. cranc
la cravate b. (tud. 30, 47) tei
le crayon g. pensil
la crème b. (tud. 48, 49) hufen crème solaire (hufen haul)
la crémerie b. llaethdy, siop cynnyrch llaeth
la crêpe b. (tud. 48) crempog
la crêperie b. bwyty crempogau
la crevaison b. twll (mewn teiar)
crevé(e) ans. wedi byrstio
le cricket g. criced (chwaraeon)
crier berf gweiddi
la crise b. argyfwng
croire berf credu
le croissant g. (tud. 48) croissant
le croque-madame g. (tud. 48) brechdan boeth gaws gyda wy wedi ei ffrio ar ei phen
le croque-monsieur g. (tud. 48) brechdan boeth gyda chaws a ham
les crudités b.lluos. (tud. 48) llysiau amrwd
cueillir berf casglu, hel
la cuiller, cuillère b. llwy
le cuir g. lledr
cuire berf coginio bien cuit(e) ans. wedi coginio'n dda
la cuisine b. (tud. 57) cegin
cuisiner berf coginio
la cuisinière b. (à gaz/électrique) stôf nwy/drydan
cultiver berf tyfu
le cyclisme g. (tud. 36) seiclo

D

d'abord ad. yn gyntaf
d'accord ans. (tud. 42) iawn, o'r gorau, rydw i'n cytuno
le/la dactylo b. teipydd/teipyddes
le danger g. perygl
dangereux/dangereuse ans. peryglus
(le/la) danois(e) g./b./ans. o Ddenmarc, Danaidd, gŵr, gwraig o Ddenmarc
dans ardd. (tud. 3, 83) yn, i mewn yn
danser berf (tud. 36, 89, 90) dawnsio
la date b. (tud. 3) dyddiad
de ardd. (du, de la, de l', des) (tud. 83) o, gan, rhywfaint
débarrasser la table berf (tud. 58) clirio'r bwrdd
debout ad. bod ar eich traed
le début g. dechrau, cychwyn
décembre g. (tud. 3) Rhagfyr
déchirer berf rhwygo
décider berf penderfynu
la décision b. penderfyniad
déclarer berf cyhoeddi
décoller berf esgyn (awyren)
découper berf torri, cerfio
découvrir berf darganfod
décrire berf disgrifio
décrocher le combiné berf codi derbynnydd y ffôn
déçu(e) ans. siomedig
dedans ad. i mewn
défendre berf gwahardd
défense de fumer dim ysmygu
dégoûtant(e) ans. atgas, ffiaidd
le degré g. gradd
en dehors ad. y tu allan
déjà ad. yn barod
(le) déjeuner g. /berf (tud. 16, 58) cinio, cael cinio
délicieux/délicieuse ans (tud. 50) blasus iawn
demain ad. (tud. 2, 12) yfory à demain 'wela' i di fory!/'wela' i chi fory!
demander berf gofyn
déménager berf mudo
demeurer berf aros
demi(e) ans. (tud. 2) hanner deux heures et demie hanner awr wedi dau
le demi-frère g. hanner brawd
la demi-pension b. (tud. 14) gwely, brecwast a chinio nos

la demi-soeur b. hanner chwaer
la dent b. (tud. 60) dant
le dentifrice g. (tud. 58) past dannedd
le/la dentiste g./b. deintydd
dépanner berf atgyweirio, trwsio
le départ g. (tud. 24, 25) amser gadael
le département g. adran, yr hyn sy'n cyfateb i 'sir' yn Ffrainc
se dépêcher berf atb. brysio
dépendre berf dibynnu, ça dépend mae hynny'n dibynnu
dépenser berf gwario
le dépliant g. pamffled, taflen
depuis ardd. (tud. 30, 38) ers, am
déranger berf aflonyddu ar, ymyrryd â
dernier/dernière ans. (tud. 18, 41) olaf, blaenorol
dès ardd. o'r (amser)
désagréable ans. annifyr, annymunol
descendre berf (tud. 24, 92) mynd i lawr, dod allan (o gerbyd)
la description b. disgrifiad
se déshabiller berf atb. dadwisgo
désirer berf dymuno, bod arnoch eisiau
désolé(e) ans. (tud. 62) bod yn ddrwg gennych
le dessert g. (tud. 48) pwdin
le dessin g. llun
le dessin animé g. cartŵn
le/la dessinateur/dessinatrice g./b. tynnwr(wraig) lluniau, cartwnydd, artist
dessiner berf tynnu lluniau
au-dessous de ardd. o dan (rhywbeth)
par dessous ad. o dan, islaw
au-dessus de ardd. uwchlaw (rhywbeth)
la destination b. pen taith, siwrnai
la détente b. ymlaciad
détester berf casáu
détruire berf difa, difetha
deux ans./g. dau
deuxième ans. (tud1) ail
la deuxième classe b. (tud. 24) ail ddosbarth
devant ardd. (tud. 22, 39, 83) o flaen
devenir berf (tud. 33, 34, 83) dod yn
la déviation b. gwyriad
le devoir g. (tud. 29) dyletswydd les devoirs gwaith cartref
devoir berf (tud. 88, 89, 91) gorfod
d'habitude ad. (tud. 25) fel arfer
le dialogue g. deialog
Dieppe g. Dieppe
la différence b. gwahaniaeth
différent(e) ans. gwahanol
difficile ans. (tud. 33, 37, 80) anodd
(le) dimanche g. (tud. 2) dydd Sul
diminuer berf lleihau, gostwng
le dîner g. (tud. 16, 50, 58) swper
dire berf (tud. 90, 91) dweud
direct(e) ans. uniongyrchol
le/la directeur/directrice g./b. prifathro/prifathrawes/rheolwr/rheolwraig
la direction b. rheolaeth
la disco(thèque) b. (tud.18) disgo
le discours g. araith
discuter berf trafod
disparaître berf diflannu
la dispute b. ffrae, cweryl
se disputer berf atb. dadlau
le disque g. (tud. 36) record
le disque compact g. cryno ddisg
le disque vidéo g. disg fideo
la distance b. pellter
la distraction b. adloniant
dix ans./g. deg
le docteur g.(tud. 61) meddyg (dyn neu wraig)
le doigt g. (tud. 60) bys
le domicile g. cartref
(le) dommage g. trueni quel dommage! bechod! trueni!
donc ad. (tud. 77) felly
donner berf (tud. 17) rhoi
dormir berf (tud. 89) cysgu
le dortoir g. ystafell gysgu
le dos g. (tud. 60) cefn
la douane b. toll, tollfa
le/la douanier/douanière g./b. swyddog tollau
doucement ad. yn araf, yn dyner
la douche b. (tud. 14, 58) cawod
la douleur b. poen
douter berf amau
Douvres g. Dofr

doux/douce ans. meddal, tyner
la douzaine b. dwsin
le drap g. cynfas (gwely)
le drapeau g. baner
le droit g. cyfraith
droit(e) ans. syth, tout droit ad. syth ymlaen
la droite b. (tud11) de tournez à droite troi i'r dde
drôle ans. doniol
dur(e) ans./ad. (tud. 29) caled, llym
durer berf parhau
dynamique ans. dynamig

E

l'eau b. (tud. 14, 48) dŵr
l'eau minérale b. (tud. 48) dŵr mwynol
l'eau potable/(non) potable b. (tud14) yfadwy/na ellir ei yfed
l'échange g. cyfnewid
échanger berf cyfnewid
les échecs g.lluos. (tud.36) gwyddbwyll
l'éclair g. (tud. 12) mellten
l'éclair au chocolat eclêr siocled (teisen hufen)
l'éclaircie b. cyfnod heulog braf
l'école b. (tud. 21, 30) ysgol école primaire ysgol gynradd
les économies b.lluos. cynilion faire des économies berf arbed, cynilo
(l') écossais (e) ans./g.b. (tud. 13) Albanaidd, Albanwr, Albanes
l'Ecosse b. yr Alban
écouter berf (tud. 41) gwrando ar
l'écran g. sgrin
écraser berf gwasgu
écrire berf (tud. 31, 54, 91) ysgrifennu
s'écrire berf atb. ysgrifennu at eich gilydd, yn cael ei sillafu
comment ça s'écrit? sut mae sillafu hynna?
l'écrivain g. ysgrifennwr
Edimbourg g. Caeredin
l'éducation physique b. addysg gorfforol
effrayer berf dychryn
égal(e) ans. cyfartal ça m'est égal does dim gwahaniaeth/ots gen i
l'église b. (tud. 17, 21) eglwys
égoïste ans. hunanol
eh bien ebych. wel, reit te!
l'électricien(ne) g./b. (tud. 32) trydanydd
l'électricité b. trydan
électrique ans. trydan
électronique ans. (tud. 47) electronig
l'électrophone g. peiriant chwarae recordiau
élégant(e) ans. ffasiynol, trwsiadus
l'élève g./b. disgybl
elle rhag. (tud. 84, 85) hi elle-même rhag. hi ei hun
elles rhag. (tud. 84, 85) nhw, hwy (benywaidd) elles-mêmes rhag. nhw eu hunain (benywaidd)
l'embouteillage g. tagfa draffig
l'émission b. (tud. 41) rhaglen (e.e. teledu)
emmener berf mynd â
empêcher berf (de faire) rhwystro rhag (gwneud rhywbeth)
l'emplacement g. (tud. 14, 15) safle i godi pabell
l'emploi du temps g. amserlen
l'emploi g. swydd
l'employé(e) g./b. gweithiwr
employer berf cyflogi
l'employeur/employeuse g./b. cyflogwr/wraig
emporter berf mynd â à emporter (bwyd) i fynd allan
emprunter berf benthyca
l'EMT = éducation manuelle et technique b. crefft dylunio a thechnoleg
en arrière ad. yn ôl, y tu ôl à l'arrière yng nghefn
en ardd. (tud. 83, 85, 98) yn, i, mewn (e.e. mewn awyren), wedi ei wneud o (bren, lledr)
encaisser berf (tud. 26) newid am arian (e.e. siec deithio)
enchanté(e) (tud. 62) falch iawn (e.e. o gyfarfod rhywun)
encore ad. eto, rhagor, dal, arall, mwy
encore une fois ad. unwaith eto

ad: adferf ardd: arddodiad rhag: rhagenw ebych: ebychiad cysyllt: cysylltair ban: bannod

s'endormir berf atb. *mynd i gysgu*
l'endroit g. *lle, man*
énervé(e) ans. *wedi cynhyrfu*
l'enfant g./b. *plentyn*
enfermer berf *cau/cloi i mewn*
enfin ad. *o'r diwedd*
enlever berf *codi, tynnu*
l'ennui g. *diflastod*
s'ennuyer berf atb. *diflasu, syrffedu*
ennuyeux/ennuyeuse ans. (tud. 7, 23, 42) *diflas*
enrhumé(e) ans. (tud. 61) *wedi cael annwyd*
l'enseignement g. *addysg*
enseigner berf *dysgu, addysgu*
ensemble ad. *gyda'i gilydd*
ensoleillé(e) ans. *heulog*
ensuite ad. *wedyn, yna*
entendre berf *clywed*
entendu(e) ans. *y cytunwyd arno*
entier/entière ans. *cyfan*
entouré(e) ans. (+de) *wedi ei amgylchynu (â)*
entre ardd. (tud. 83) *rhwng*
l'entrecôte b. *asen (cig)*
l'entrée b. *mynedfa, mynediad, cwrs cyntaf*
entrer berf (tud. 92) *mynd i mewn*
l'enveloppe b. *amlen*
envers ardd. *tuag at*
l'envie b. avoir envie de berf *bod eisiau*
environ ad. (tud. 56) *tua (e.e. environ cent - tua 100)*
envoyer berf(tud. 65, 90) *anfon*
l'épaule b. *ysgwydd*
épeler berf *sillafu*
l'épicerie b. (tud. 44, 48) *siop fwyd*
l'épicier/épicière g./b. *groser/merch sy'n cadw siop fwyd*
l'époux/épouse g./b. *gŵr/gwraig*
l'EPS = éducation physique et sportive b. *addysg gorfforol*
l'équipe b. (tud. 42) *tîm*
l'équitation b. *marchogaeth (ceffyl)*
l'erreur b. *camgymeriad*
l'escalier g. (tud. 14) *grisiau*
l'escargot g. (tud. 48, 51) *malwen*
l'espagnol g. *Sbaeneg (yr iaith)*
l'espagnol(e) ans./g./b. *Sbaenaidd, Sbaenwr,Sbaenes*
espérer berf (tud. 66) *gobeithio*
l'espoir g. *gobaith*
essayer berf *ceisio*
l'essence b. *petrol*
essentiel(le) ans. *hanfodol*
est (tud. 23,89) *mae .. yn*
est-ce que ad. (tud. 5) *a yw ...?*
l'estomac g. (tud. 60) *stumog*
et cysyllt. (tud. 77) *a, ac*
l'étage g. (tud. 16) *llawr*
l'étagère b. (tud. 57) *silff, silffoedd*
était (tud. 40, 50) *roedd, oedd*
l'état g. *cyflwr, gwladwriaeth*
les Etats-Unis g.lluos. (tud. 18) *yr Unol Daleithiau*
l'été g. (tud. 18) *haf*
éteindre berf *diffodd (e.e. golau)*
étrange ans. (tud. 80) *rhyfedd*
étrangement ad. (tud. 81) *yn rhyfedd*
à l'étranger ad. (tud. 14) *dramor*
être berf (tud. 97) *bod*
étroit(e) ans. *cul*
les études b.lluos. *astudiaethau*
l'étudiant(e) g./b. *myfyriwr/myfyrwraig*
étudier berf (tud. 34) *astudio*
l'Europe b. (tud. 13) *Ewrop*
eux rhag. (tud. 85) *nhw (gwr. neu gwr. a ben.)* eux-mêmes rhag. *nhw eu hunain (gwr. neu gwr. a ben.)*
l'évènement g. *digwyddiad, achlysur*
l'évier g. *sinc (cegin)*
exact(e) ans. *union*
exactement ad. *yn union*
l'examen g. *arholiad*
excellent(e) ans. (tud. 7, 37, 42) *rhagorol*
l'excursion b. (tud. 17) *trip, taith*
s'excuser berf atb. (tud. 62) *ymddiheuro*
excusez-moi (tud. 4) ebych. (tud. 4) *esgusodwch fi*
l'exemple g. *enghraifft, esiampl* par example *er enghraifft*
l'exercice g. *ymarfer*
expliquer berf (tud. 31) *egluro*
l'exposition b. (tud. 17) *arddangosfa*
exprès ad. *yn fwriadol*
l'express g. *trên cyflym*
l'extérieur g. *y tu allan*
à l'extérieur *tu allan*
l'extrait g. *darn, rhan*
extraordinaire ans. *anarferol, anghyffredin*
extrêmement ad. *yn eithriadol, yn ofnadwy*

F

la fabrique ans. *ffatri*
en face ad. (+de) *gyferbyn â*
se fâcher berf atb. *bod yn gas*
facile ans. (tud. 33, 80) *hawdd*
le/la facteur/factrice g./b. (tud. 32) *postmon/postmones*
faible ans. *gwan*
la faim b. (tud. 49, 61) *newyn, bod eisiau bwyd*
j'ai faim *rydw i eisiau bwyd*
faire berf (tud. 88, 89, 91) *gwneud*
faire attention berf *bod yn wyliadwrus, gofalu rhag*
se faire bronzer berf atb. *torheulo*
faire des achats berf *mynd i siopa*
faire des économies berf *arbed, cynilo (arian)*
faire du camping berf *mynd i wersylla*
faire la vaisselle berf (tud. 58) *golchi llestri*
faire le ménage berf *gwneud gwaith tŷ*
faire le plein berf *llenwi tanc y car*
faire les courses berf *mynd i siopa*
faire mal berf *niweidio*
se faire mal berf atb. *niweidio eich hun*
la falaise b. *clogwyn*
falloir berf (il faut) (tud. 90) *bod yn anghenrheidiol*
la famille b. (tud. 18) *teulu* en famille *yn y teulu/teuluol*
fantastique ans. (tud. 7) *ffantastig*
fatigué(e) ans. (tud. 61) *wedi blino*
faut *gweler* falloir *ac* il faut
la faute b. *bai, nam, camgymeriad*
le fauteuil g. (tud. 57) *cadair freichiau*
faux/fausse ans. (tud. 31) *ffals, anghywir*
favori(e) ans. *hoff*
le fax g. *ffacs*
les félicitations b.lluos. *llongyfarchiadau*
féliciter berf *llongyfarch*
la femme b. (tud. 55) *menyw*
la fenêtre b. *ffenestr*
le fer à repasser g. *haearn*
férié *gweler* jour férié
ferme ans. *cadarn*
la ferme b. *fferm*
fermé(e) ans. (tud. 33, 44) *wedi cau*
fermer berf *cau*
le/la fermier/fermière g./b. *ffermwr (wraig)*
les festivités b.lluos. *dathliadau*
la fête b. *gwledd, gŵyl mabsant*
fêter berf *dathlu*
le feu g. *tân, goleuadau traffig* le feu rouge *golau coch*
la feuille b. *deilen*
le feuilleton g. *opera sebon*
le feutre g. *ffelt*
février g. (tud. 3) *Chwefror*
le/la fiancé(e) g./b. *dyweddi*
la fiche b. *cerdyn, ffurflen*
fier/fière ans. *balch*
la fièvre b. (tud. 61) *twymyn, gwres*
la fille b. *geneth, merch*
le film g. (tud. 36, 40, 42) *ffilm*
le film comique g. *comedi*
le film d'épouvante g. *ffilm arswyd*
le film policier g. *ffilm dditectif*
le fils g. *mab*
la fin b. (tud. 16) *diwedd*
finir berf (tud. 51, 88) *gorffen*
(le/la) finlandais(e) ans./g./b. *o'r Ffindir, gŵr, gwraig o'r Ffindir*
la fleur b. (tud. 57) *blodyn*
le fleuve g. *afon*
la flûte b. (tud. 36) *ffliwt*
la foire b. *ffair*
la fois b. *gwaith, tro* cette fois *y tro hwn*
foncé(e) ans. (tud. 54) *tywyll*
fonctionner berf (tud. 32) *gweithio*
le fond g. *gwaelod* au fond de ardd. *ar waelod, yng nghefn*
le football g. (tud. 36, 39) *pêl-droed*
la forêt b. *fforest, coedwig*
formidable ans. (tud. 7) *gwych, rhagorol*
fort(e) ans. *cryf* fort(e) en maths *da am wneud mathemateg*
fou/folle ans. (tud. 78) *ffol, gwirion*
la foudre b. *taran*
le four g. *popty*
le four à micro-ondes g. *popty microdon*
la fourchette b. *fforc*
frais/fraîche ans. *ffres*
la fraise b. (tud. 48) *mefusen*
la framboise b. (tud. 48) *mafonen goch*
le franc g. (tud. 48) *franc*
le français g. (tud. 31, 45) *Ffrangeg (yr iaith)*
(le/la français(e) ans/.g.b. (tud. 13) *Ffrengig, Ffrancwr, Ffrances*
la France b. (tud. 13, 18) *Ffrainc*
frapper berf *taro*
le frein g. *brêc*
froinor berf *brecio*
fréquenter berf *mynychu*
le frère g. (tud. 18, 33, 56) *brawd*
le frigo- frigidaire g. *oergell*
la frise b. *ffrise*
les frites b.lluos. *sglodion*
froid(e) ans. (tud. 12, 19, 61) *oer*
avoir froid berf *bod yn oer*
il fait froid *mae hi'n oer*
le fromage g. (tud. 48) *caws*
la frontière b. *ffin*
le fruit g. (tud. 48) *ffrwyth*
le fruitier g. *coeden ffrwythau* l'arbre fruitier *coeden ffrwythau*
les fruits de mer g.lluos. (tud. 48) *bwyd môr*
la fuite b. *dihangfa, rhedeg i ffwrdd*
la fumée b. *mwg*
fumer berf *ysmygu*
le/la fumeur/fumeuse g./b. (tud. 24) *ysmygwr(wraig)*
furieux/furieuse ans. *cynddeiriog*
(le) futur g./ans. *dyfodol*

G

gagner berf (tud. 33) *ennill*
gai(e) ans. *hapus, siriol*
le gallois g. *Cymraeg (yr iaith)* (le/la) gallois(e) ans./g./b. *Cymreig, Cymro, Cymraes*
le gant g. (tud. 47) *maneg*
le garage g. *modurdy, garej*
le/la garagiste g./b. *peiriannydd mewn garej*
garantir berf *gwarantu, sicrhau*
le garçon g. (tud. 51) *bachgen, gweinydd*
le garçon de café g. *gweinydd*
garder berf *cadw*
la gare b. (tud. 21) *gorsaf*
la gare de marchandises b. *gorsaf nwyddau*
la gare maritime b. *gorsaf y porthladd*
la gare routière b. *gorsaf bwsiau*
garer berf *parcio*
la Garonne *ardal la Garonne*
le gas-oil g. *diesel*
le gâteau g. (tud. 48) *teisen*
(la) gauche b./ans. (tud. 1) *chwith* tournez à gauche *trowch i'r chwith*
le gaz g. *nwy*
geler berf *rhewi*
le/la gendarme g./b. (tud. 32) *plismon/plismones*
la gendarmerie b. (tud. 26) *gorsaf heddlu*
en général ad. *yn gyffredinol, fel arfer*
généralement ad. *yn gyffredinol, fel arfer*
génial(e) ans. *mawr, gwych, o athrylith*
le genou g. (tud. 60) *penglin*
le genre g. *math*
les gens g./b.lluos. *pobl*
gentil(le) ans. (tud. 7, 62) *dymunol, annwyl, caredig*
la gentillesse b. *caredigrwydd*
le gîte g. *bwthyn hunanarlwyo*
la glace b. (tud. 48) *hufen iâ*
la gomme b. *rhwbiwr*
gonfler berf *chwyddo, pwmpio*
la gorge b. (tud. 60) *gwddf (llwnc)*
le goût g. (tud. 51) *blas*
goûter berf (tud. 51) *blasu*
le gouvernement g. *llywodraeth*
le gramme g. *gram*
grand(e) ans. (tud. 26, 54, 80) *mawr*
le grand magasin g. (tud. 21, 44) *siop fawr*
la Grande-Bretagne b. (tud. 13) *Prydain Fawr*
la grande surface b. *canolfan siopa*
les grandes vacances b.lluos. *gwyliau'r haf*
la grand-mère b. (tud. 55) *nain, mam-gu*
le grand-père g. (tud. 55) *tain, tad-cu*
les grand-parents g.lluos. (tud. 55) *nain a taid*
gratuit(e) ans. *am ddim*
grave ans. *difrifol*
(le/la) grec/grèque ans./g./b. *Groegaidd, Groegwr, Groeges*
la Grèce b. *Gwlad Groeg*
la grève b. *streic*
la grillade b. *gril*
la grille b. *giât*
la grippe b. (tud. 61) *ffliw*
gris(e) ans. (tud. 30) *llwyd*
gros(se) ans. (tud. 54) *tew, mawr*
le groupe g. (tud. 30, 36, 42) *grŵp*
guérir berf *gwella, wedi gwella*
la guerre b. *rhyfel*
le guichet g. (tud. 24) *cownter tocynnau*
le guide g. *arweinydd*
la guitare b. (tud. 36) *gitâr*
le gymnase g. (tud. 36) *campfa*
la gymnastique b. *gymnasteg*

H

s'habiller berf atb. *gwisgo dillad*
l'habitant(e) g./b. *deiliad, preswylydd, rhywun sy'n byw yn rhywle*
habiter berf (tud. 13, 23, 56) *byw yn*
le hamburger g. *byrgyr, eidionyn*
le handball g. *pêl-law*
le haricot vert g.(tud. 48) *ffeuen Ffrengig*
haut(e) ans. (tud. 80) *uchel* en haut *i fyny'r grisiau* en haut de ardd. *ar ben (rhywbeth)*
Le Havre *Le Havre (tref)*
hein? ebych. *beth? sut?*
l'herbe b. *glaswellt*
l'heure b. (tud. 2, 33) *awr* à quelle heure? *am faint o'r gloch?* de bonne heure *yn gynnar*
heureux/heureuse ans. (tud. 78, 80) *hapus*
hier ad. (tud. 2, 3) *ddoe*
la hi-fi b. *hei-ffei, stereo*
l'histoire b. (tud. 7) *hanes, stori*
historique ans. *hanesyddol*
l'hiver g. *gaeaf*
le HLM g. = habitation à loyer modéré *fflat cyngor*
le hockey g. (tud. 36) *hoci*
(le/la hollandais(e) ans./g./b. (tud. 13) *Iseldiraidd, Iseldirwr, Iseldirwraig*
la Hollande b. (tud. 13) *yr Iseldiroedd*
l'homme g. (tud. 55) *dyn*
la honte b. *cywilydd*
l'hôpital g. (tud. 21, 61) *ysbyty*
l'horaire g. (tud. 24, 30) *amserlen*
l'horloge b. *cloc*
hors ardd. *ar wahân i (+de) y tu allan i*
le hors-d'oeuvre g. *cwrs cyntaf*
l'hospitalité b. *lletygarwch, croeso*
l'hôtel de ville g. (tud. 17, 21) *neuadd y dref (mewn tref fawr)*
l'hôtel g. (tud. 14, 21) *gwesty*
l'hôtesse de l'air b. *stiwardes*
l'huile b. *olew*
huit ans./g. *wyth*
humide ans. *llaith*
l'humour g. *hiwmor*
l'hypermarché g.(tud. 44) *archfarchnad*

I

ici ad. (tud.15, 38, 64) *yma* ici Anne *– Anne yn siarad*
l'idée b. *syniad*
l'identité b. *hunaniaeth, union debygrwydd*
(l') idiot(e) ans./g./b. *twp, twpsyn, twpsen*
ignorer berf *bod heb wybod*
il rhag. (tud. 84) *ef/fo*
il faut *mae'n rhaid inni, mae'n anghenrheidiol ...*
il y a *mae*
l'île b. *ynys*
l'illustré g. *comic, cylchgrawn â darluniau*
ils rhag. *nhw* (gwr. neu gwr. a ben.)
l'image b. *llun, darlun*
imaginer berf *dychmygu*
immédiatement ad. *yn syth*
l'immeuble g. *adeilad/bloc o fflatiau*
l'imperméable g. (tud. 47) *côt law*
l'importance b. *pwysigrwydd*
important(e) ans. *pwysig*
impossible ans. *amhosibl*
impressionnant(e) ans. *trawiadol*
l'incendie b. *tân*
inclus(e) ans. *yn gynwysedig, gan gynnwys*
inconnu(e) ans. *anhysbys, dieithr*
l'inconvénient b. *anfantais*
l'incroyable ans. *anhygoel*
l'indicatif g. *côd deialu*
indiquer berf *dangos, dynodi*
l'industrie b. (tud. 56) *diwydiant*
industriel(le) ans. *diwydiannol*
l'infirmier/infirmière g./b. *nyrs*
l'informaticien(ne) g./b. *cyfrifiadurwr(wraig)*
l'information b. *gwybodaeth*
les informations b.lluos. *newyddion*
l'informatique b. (tud. 34) *cyfrifiadureg*
informer berf *hysbysu*
l'ingénieur g. (tud. 32) *peiriannydd*
l'inondation b. *llif, llifogydd*
inquiet/inquiète ans. *pryderus*
s'inquiéter berf atb. *poeni am, pryderu*
l'insecte g. *pryf*
l'insolation b. *trawiad haul*
l'instituteur/institutrice g./b. *athro/athrawes ysgol gynradd*
l'instrument g. *offeryn*
intelligent(e) ans. *deallus*
l'intention b. *bwriad*
interdire berf *gwahardd*
interdit(e) ans. *wedi ei wahardd*
intéressant(e) ans. (tud. 7, 33, 37) *diddorol*
intéresser berf (tud. 6) *bod o ddiddordeb*
international(e) ans. *rhyngwladol*
inutile ans. *annefnyddiol, diwerth*
inventer berf *dyfeisio*
l'invitation b. *gwahoddiad*
inviter berf *gwahodd*
l'irlandais(e) ans/.g./b. (tud.13) *Gwyddelig, Gwyddel, Gwyddeles*
l'Irlande du Nord b. *Gogledd Iwerddon*
l'Irlande b. (tud18) *Iwerddon*
l'Italie b. (tud13) *yr Eidal*
(l') italien(ne) ans./g./b. (tud. 13, 28) *Eidalaidd, Eidalwr, Eidales*

J

jaloux/jalouse ans. *cenfigennus*
jamais ad. *byth, erioed*
la jambe b. (tud. 60) *coes*
le jambon g. (tud. 48) *ham*
janvier g. (tud. 3) *Ionawr*
le jardin g. (tud. 57) *gardd*
le jardinage g. *garddio*
jaune ans. (tud. 45) *melyn*
le jazz g. *jazz*
je rhag. (tud. 84) *fi/i*
le jean g. (ei ynganu fel yn Saesneg) *jîns*
jeter berf *taflu*
le jeu g. (tud. 36) *gêm*
(le) jeudi g. (tud. 2) *dydd Iau*
jeune ans. (tud. 80) *ifanc*
la jeune femme b. *menyw ifanc*
le jeune homme g. *dyn ifanc*
la jeunesse b. *ieuenctid*
le jeu-vidéo g. *gêm fideo*
joli(e) ans. (tud. 56, 80) *del*
jouer berf (tud. 36, 39, 91) *chwarae (+ à = chwaraeon, + de = offeryn cerdd)*
jouer aux cartes berf *chwarae cardiau*
le jouet g. *tegan*
le/la joueur/joueuse g./b. *chwaraewr/chwaraewraig*
le jour g. (tud. 29, 37) *diwrnod (e.e. chaque jour, tous les jours bob dydd)*
le jour de congé g. *diwrnod i ffwrdd*
le jour férié g. *gŵyl gyhoeddus*
le journal g. (tud. 42) *papur newydd*

le/la journaliste g./b. (tud. 32, 33) newyddiadurwr/ newyddiadurwraig
la journée b. diwrnod (e.e. toute la journée drwy'r dydd)
joyeux/joyeuse ans. hapus (e.e. pen-blwydd hapus)
joyeux Noël ebych. Nadolig Llawen
juillet g. (tud. 3) Gorffennaf
juin g. (tud. 3) Mehefin
le jumelage g. gefeillio
la jupe b. (tud. 47) sgert
le jus g. (tud. 48) sudd jus d'orange sudd oren
jus de fruit sudd ffrwythau
jusqu'à ardd. tan, hyd at
juste ans. teg

K

le kilo g. cilo(gram)
le kilomètre g. (tud. 22) cilometr
à dix kilomètres 10 cilometr i ffwrdd
le kiosque g. ciosg, stondin

L

là ad. yno là-bas draw yna
la rhag. hi – gweler le
là-bas ad. draw yna, yn y fan acw
le laboratoire g. labordy
le lac g. llyn
là-dedans ad. i mewn yn fan'na
là-haut ad. i fyny'n fan'na
laid(e) ans. hyll
la laine b. gwlân
laisser tomber berf gollwng
le lait g. (tud. 48, 49) llaeth
la laitue b. letysen
la lampe b. (tud. 57) lamp
lancer berf taflu
la langue b. iaith, tafod
le lapin g. (tud. 55) cwningen
large ans. llydan
la larme b. deigryn (crio)
le lavabo g. (tud. 14) basn ymolchi
laver berf golchi se laver berf atb. ymolchi
le lave-vaisselle g. (tud. 59) peiriant golchi llestri
le/la/les ban. (tud. 78, 84) y/yr
le/la/les rhag. (tud. 78, 84) ef/hi/nhw
lèche-vitrines – faire du lèche-vitrines berf edrych yn ffenestri siopau
la leçon b. gwers
le/la lecteur/lectrice g./b. darllenwr(wraig)
la lecture b. darllen
léger/légère ans. ysgafn
le légume g. (tud. 48) llysieuyn
le lendemain g. y diwrnod wedyn
lent(e) ans. (tud. 80) araf
lentement ad. (tud. 81) yn araf
les ban. (tud. 78, 84) y, yr – gweler le
les rhag. (tud. 78, 84) nhw – gweler le
la lessive b. golchi (dillad)
la lettre b. (tud. 65) llythyr
leur rhag. (tud. 80, 84) (iddyn) nhw
leur, leurs ans. (tud. 80) eu
lever berf (tud. 31) codi se lever berf atb. codi (o'r gwely)
la librairie b. (tud. 44) siop lyfrau
libre ans. (tud. 52) rhydd
le libre-service g. siop hunanwasanaeth
le lieu g. lle avoir lieu berf digwydd
la ligne b. (tud. 25) llinell
la limonade b. lemonêd
le linge g. llieiniau, dillad (i'w golchi)
lire berf (tud.36, 89, 91) darllen
la liste b. rhestr
le lit g. (tud. 57) gwely le grand lit g. (tud. 57) gwely mawr/dwbl
le litre g. litr
le livre g. (tud. 42) llyfr
la livre b. pwys
la livre sterling b. (tud.26) punt sterling
livrer berf danfon, trosglwyddo
la location b. rhentu, hurio
loger berf byw
loin (de) ans. (tud. 22) ymhell (o)
la Loire (ardal y) Loire
le loisir g. hamdden
Londres g. Llundain
long(ue) ans. (tud. 54, 78, 80) hir le long de ardd. ar hyd
longtemps ad. am hir
lorsque cysyllt. pan
louer berf llogi, hurio
lourd(e) ans. trwm

lui rhag. (tud. 84, 85) ef, iddo ef/iddi hi lui-même rhag. ef ei hun
la lumière b. golau
(le) lundi g. (tud. 2) dydd Llun
les lunettes b. lluos. sbectol
le luxe g. moethusrwydd
le lycée g. ysgol uwchradd
Lyon g. Lyon

M

ma ans. fy – gweler mon
la machine b. peiriant
la machine à coudre b. peiriant gwnïo
la machine à laver b. peiriant golchi
Madame b. Mrs, Madam
Mademoiselle b. (tud. 51) Miss
le magasin g. (tud. 21, 44, 56) siop
le magazine g. (tud. 42) cylchgrawn
le magnétophone (à cassettes) g. recordydd casét
le magnétoscope g. recordydd fideo
magnifique ans. gwych, ardderchog
mai g. (tud. 3) Mai
maigre ans. (tud. 54) tenau
le maillot de bain g. gwisg nofio
la main b. (tud. 60) llaw
maintenant ad. nawr
le/la maire g./b. maer/maeres
la mairie b. (tud. 21) neuadd y dref (tref fechan)
mais cysyllt. (tud. 77) ond
la maison b. (tud. 56, 57, 58) tŷ
la maison des jeunes b. clwb ieuenctid
mal g. (tud. 61) poen avoir mal à berf bod â phoen yn se faire mal berf atb. anafu eich hun
mal ad. (tud. 81) yn wael
le mal au coeur g. teimlo'n sâl
le mal au ventre g. poen bol/bola tost
le mal aux dents g. dannodd
le mal de mer g. salwch môr
le mal de tête g. cur pen
(le/la) malade ans./g./b. (tud. 61) sâl, claf
la maladie b. salwch, gwaeledd
maladroite(e) ans. trwsgl, lletchwith
malgré ardd. er gwaethaf
malheureusement ad. yn anffodus
malheureux/malheureuse ans. anhapus
la maman b. mam
la Manche b. Y Sianel
manger berf (tud. 50, 58, 89) bwyta
la manifestation b. protest
manquer berf bod yn ddiffygiol, bod yn absennol
il me manque rydw i'n ei golli
le manteau g. (tud. 47) côt
le maquillage g. colur
se maquiller berf atb. coluro eich hun
le/la marchand(e) g./b. siopwr/siopwraig
marchand(e) de fruits gwerthwr(wraig) ffrwythau
le/la marchand(e) de légumes g./b. gwerthwr(wraig) llysiau
le marché g. (tud.17, 21, 44) marchnad
marcher berf cerdded
(le) mardi g. (tud. 2) dydd Mawrth
la marée b. llanw
le mari g. gŵr
se marier berf atb. priodi
la marque b. enw, label
marquer berf marcio, ysgrifennu, nodi
marron ans (tud. 54) brown (llygaid, gwallt)
mars g. (tud. 3) Mawrth
Marseille g. Marseille
le Massif Central (mynyddoedd) Massif Central
le match g. gêm (chwaraeon)
le matériel g. offer, cyfarpar
les mathématiques b.lluos. (tud. 28, 34) mathemateg
les maths b.lluos. mathemateg
la matière b. (tud. 28) pwnc (ysgol)
le matin g. bore
mauvais(e) ans. (tud. 37, 42, 50) drwg
il fait mauvais mae'r tywydd yn wael
me rhag. (tud. 84, 85), fi, fi fy hun
le/la mécanicien(ne) g./b. (tud. 32) peiriannydd
méchant(e) ans. (tud 80) cas
le médecin g. (tud. 61) meddyg
le médicament g. moddion, ffisig
la Méditérranée b. Môr y Canoldir
meilleur(e) ans. (tud. 80, 82) gwell

le/la meilleur(e) ans. y gorau
le melon g. melon
le membre g. (tud. 36) aelod
même ad. hyd yn oed
même ans. yr un
le ménage g. (tud. 58) gwaith tŷ
mener berf arwain
le mensonge g. celwydd
mentir berf dweud celwyddau
le menu g. (tud. 51) bwydlen
menu à 14 Euro bwydlen 14 Ewro
la mer b. môr
la Mer du Nord b. Môr y Gogledd
merci ebych. (tud. 4, 39, 49) diolch
(le) mercredi g. (tud. 2) dydd Mercher
la mère b. (tud. 33, 55) mam
merveilleux/merveilleuse ans. (tud. 7) ardderchog
mes ans. fy – gweler mon
le message g. (tud. 64) neges
le métal g. metel en métal wedi ei wneud o fetel
la météo b. (tud.12) rhagolygon tywydd
le métier g. swydd, gwaith
le mètre g. metr à cent mètres 100 metr i ffwrdd
le métro g. (tud. 25) trên (tanddaearol)
mettre berf (tud. 91) rhoi
mettre à la poste berf postio
mettre la table berf (tud. 58) gosod y bwrdd
le meuble g. (tud. 57) dodrefnyn
midi g. hanner dydd
le Midi g. De Ffrainc
mieux ad. yn well le mieux ad. gorau
le milieu g. canol au milieu de ardd. yng nghanol ...
mille ans. (tud. 1) mil
le million g. miliwn
mince ans. (tud. 54) tenau, main
minuit g. hanner nos
la minute b. munud à vingt minutes 20 munud i ffwrdd
le miroir g. (tud. 57) drych
à mi-temps ad. yn rhan amser
moche ans. hyll
la mode b. ffasiwn
moderne ans. (tud. 56) modern
moi rhag. (tud. 85, 97) fi moi-même rhag. fi fy hun
moins (de/que) ad. (tud. 82) llai (o/na) au moins ad. o leiaf
le mois g. (tud. 18, 41) mis
la moitié b. hanner
le moment g. munud, amser à ce moment-là yr adeg honno
mon, ma, mes ans. (tud. 80) fy (e.e. fy ffrind)
mon Dieu ebych. fy Nuw!
le monde g. byd
la monnaie b. (tud. 64) newid (arian)
Monsieur g. Mr/Syr
la montagne b. mynydd
monter berf (+ dans) (tud. 24, 91) codi, mynd i (mewn i) gerbyd.
la montre b. oriawr
Montréal g. Montréal
montrer berf dangos
le monument g. cofeb, cofadail
la moquette b. (tud. 57) carped gosod
le morceau g. darn
mordre berf brathu
la mort b. marwolaeth
mort(e) ans. wedi marw
le mot g. gair
le moteur g. modur
le motif g. cymhelliad, patrwm
la moto b. (tud. 25) beic modur
le mouchoir g. hances boced
mouillé(e) ans. gwlyb
mourir berf (tud. 90, 91, 92) marw
la moutarde b. mwstard
le mouton g. dafad
le moyen g. modd, dull, cyfrwng
moyen(ne) ans. (tud.54) canolig
le mur g. (tud.57) wal, mur
mûr(e) ans. aeddfed
le musée g. (tud.18, 21) amgueddfa
le/la musicien(ne) g./b. (tud.32) cerddor
la musique b. (tud.37, 42) cerddoriaeth

N

nager berf (tud. 36, 89) nofio
la naissance b. genedigaeth
naître berf (tud. 91, 92) cael eich geni
la natation b. (tud. 38) nofio
la nationalité b. cenedl

la nature b. natur
naturel(le) ans. naturiol
naturellement ad. yn naturiol
ne ... pas ad. (tud. 97) ni(d)
ne ... plus ad. ni(d) ... mwy
ne .. rien ad. ni(d) ... ddim
né(e) ans. (o naître) (tud. 91, 92) wedi ei eni
nécessaire ans. angenrheidiol
négatif/négative ans. negyddol
la neige b. (tud. 12) eira
neiger berf (tud. 12, 19) bwrw eira
n'est-ce pas? on'd ydi e' /on'd yw e?
nettoyer berf (tud. 58, 59) glanhau
neuf ans./g. (tud. 1) naw
neuf/neuve ans. (tud. 80) newydd
le neveu g. nai
le nez g. (tud. 60) trwyn
ni ... ni.. cysyllt. ni(d)... na(c)
la nièce b. nith
n'importe où/ quel/qui/quoi rhag. dim ots ble/pa/pwy/beth
le niveau g. lefel
(le) Noël g. (tud. 30) Nadolig
noir(e) ans. (tud. 26, 45, 54) du
le nom g. enw
le nombre g. rhif, nifer
nombreux/nombreuses ans. niferus
non ebych. (tud. 49) na (ac ati)
non plus ad. na(c) ... chwaith (e.e. Does gen i 'run chwaith)
le/la non-fumeur/non-fumeuse g./b. (tud. 24) diysmygwr/ diysmygwraig
le nord g. (tud. 12, 23) gogledd
le nord-est g. (tud. 23) gogledd ddwyrain
le nord-ouest g. (tud. 23) gogledd orllewin
normal(e) ans. (tud. 80) cyffredin, arferol, normal
normalement ad. (tud. 81) fel arfer
la Normandie b. Normandi
nos ans. ein – gweler notre
la note b. (tud14) marc (gradd), bil, nodyn
noter berf. nodi, sylwi ar
notre, nos ad. (tud. 80) ein
nourrir berf bwydo
la nourriture b. bwyd
nous rhag. (tud. 84, 85) ni nous-mêmes rhag. ni ein hunain
nouveau/nouvelle ans. (tud. 41, 56, 78) newydd de nouveau ad. eto
le Nouvel An g. Blwyddyn Newydd
novembre g. (tud. 3) Tachwedd
se noyer berf atb. boddi
le nuage g. cwmwl
nuageux/nuageuse ans. (tud. 12) cymylog
la nuit b. (tud. 14, 15) nos
nul (le) ans. diwerth
le numéro g. (tud. 64) rhif
le numéro de téléphone g. (tud. 64) rhif ffôn
le nylon g. neilon

O

l'objet g. gwrthrych
les objets trouvés g.lluos. eiddo coll
obligatoire ans. gorfodol
obliger berf gorfodi je ne suis pas obligé(e) does dim rhaid i mi
l'occasion b. (+de) cyfle (i)
occupé(e) ans. prysur
occuper berf treulio (amser)
octobre g. (tud. 3) mis Hydref
l'odeur b. arogl
l'oeil g. (lluos. yeux) (tud. 60) llygad
l'oeuf g. (tud. 48) wy
l'oeuf à la coque g. wy wedi ei ferwi
l'office de tourisme g. (tud. 17) canolfan croeso
offrir berf rhoi
l'oignon g. (tud. 48) nionyn
l'oiseau g. (tud. 55) aderyn
l'ombre b. cysgod
l'omelette b. omled
on rhag. un, rhywun
l'oncle g. (tud. 55) ewythr
l'opinion b. (tud. 6, 37, 44) barn
or cysyllt./ad. fodd bynnag, er hynny, nawr
l'orage g. storm
orageux/orageuse ans. stormus
l'orange b./ans. (tud. 45, 48) oren
l'orangina b. orangina

l'orchestre g. cerddorfa
ordinaire ans. cyffredin, petrol dwy seren
l'ordinateur g. cyfrifiadur
l'ordonnance b. presgripsiwn
l'oreille b. (tud. 60) clust
l'oreiller g. gobennydd
organiser berf trefnu
oser berf mentro
ou cysyllt. neu
où ad. (tud. 77) lle d'où viens-tu? o ble wyt ti'n dod?
oublier berf anghofio
l'ouest g. (tud. 23) gorllewin
oui ebych. (tud. 49) ie, oes ...
ouvert(e) ans. (tud. 38, 44) agored
l'ouvre-boîte g. agorwr tuniau
l'ouvreur/ouvreuse g./b. tywysydd/ tywyswraig
l'ouvrier/ouvrière g./b. gweithiwr/ gweithwraig
ouvrir berf (tud. 91) agor

P

les P et T = les Postes et Télécommunications gwasanaeth post a thelathrebu Ffrainc
la page b. tudalen
le pain g. (tud. 48) bara
la paire b. pâr
paisible ans. llonydd, tawel
pâle ans. gwelw, golau
le pamplemousse g. grawnffrwyth
le panier g. basged
en panne ans. wedi torri (i lawr) (e.e. car)
le panneau g. arwydd, hysbysfwrdd
le pantalon g. (tud. 30, 47) trowsus
la pantoufle b. sliper
le papa g. dad
la papeterie b. (tud. 44) siop bapur ysgrifennu
le papier g. papur
(les) Pâques b.lluos. (tud. 30) Pasg
le paquet g. (tud. 65) parsel
par ardd. (tud. 29) drwy (par ici/là y ffordd yma/acw), bob, fesul, y (e.e. par jour, par personne)
paraître berf ymddangos
le parapluie g. ambarél
le parc g. (tud. 21, 36, 56) parc
parce que cysyllt. (tud. 7, 34, 77) oherwydd
le pardessus g. côt fawr
pardon ebych. (tud. 4) Mae'n ddrwg gen i! Esgusodwch fi!
pardonner berf maddau
le pare-brise g. ffenestr flaen (mewn car)
pareil(le) ans. yr un fath
les parents g.lluos. rhieni, perthnasau
paresseux/paresseuse ans. diog
parfait(e) ans. perffaith
parfois ad. weithiau
le parfum g. blas, persawr
la parfumerie b. siop bersawr
Paris g. Paris
(le/la) parisien(ne) ans./g./b. o Baris, gŵr, gwraig o Baris
parler berf (tud. 31, 54, 64) siarad
parmi ardd. ymhlith
la part b. rhan de ma part gennyf fi
partager berf (tud. 59) rhannu
participer berf cymryd rhan
la partie b. rhan
partir berf (tud. 14, 24, 91) gadael, à partir de ardd. o ... ymlaen
partout ad. ym mhobman
pas – ne ... pas ad. (tud. 97) peidiwch/ paid â ...
pas de – je n'ai pas de ... Does gen i ddim ...
pas mal ad. (tud. 62) dim yn ddrwg
le passage clouté g. croesfan cerddwyr
le passage protégé g. hawl tramwy
le/la passager/passagère g./b. teithiwr
le/la passant(e) g./b. rhywun sy'n mynd heibio, cerddwr(wraig)
le passé g. gorffennol
le passeport g. (tud. 26) pasport
passer berf (tud. 49) cymryd, sefyll (arholiad), pasio
passer l'aspirateur berf hwfro
se passer berf atb. digwydd

le passe-temps g. (tud. 35) *hobi, diddordeb*
passionnant(e) ans. *cyffrous, diddorol*
la pastille b. *pastil*
la pâte b. *toes, crwst*
le pâté g. *pate*
les pâtes b.lluos. (tud. 48) *pasta*
la patinoire b. (tud. 36, 38) *llawr sglefrio*
les patins à roulettes g.lluos. *esgidiau sglefrolio*
la pâtisserie b. (tud. 21, 44) *siop deisennau*
le/la patron(ne) g./b. *perchennog*
la pause de midi b. *egwyl amser cinio*
pauvre ans. *tlawd*
payant(e) ans. – c'est payant *mae'n rhaid i chi dalu*
payer berf (tud. 51) *talu*
le pays g. *gwlad*
le pays de Galles g. (tud13) *Cymru*
le paysage g. (tud. 56) *tirwedd*
le péage g. *toll, tollborth*
la peau *croen*
la pêche b. (tud. 36, 48) *pysgota, eirinen wlanog*
pêcher berf *mynd i bysgota*
la peigne g. *crib*
se peigner berf atb. *cribo eich gwallt*
la peinture b. *paentiad, llun*
la pellicule b. *ffilm (camera)*
la pelouse b. (tud. 57) *lawnt*
pendant cysyllt. (+que) (tud. 18, 77) *yn ystod, tra*
la pendule b. *cloc*
penser berf (tud. 6, 37, 40) *meddwl*
la pension b. (tud. 14) *prydau bwyd/llety* pension complète *llety a phob pryd bwyd*
perdre berf (tud. 26) *colli*
le père g. (tud. 33, 55) *tad*
permettre berf *caniatáu*
le permis g. *trwydded* le permis de conduire *trwydded yrru*
(la) personne b./rhag. (tud. 14, 15, 59) *person, rhywun, neb*
persuader berf *perswadio*
peser berf *pwyso*
petit(e) ans. (tud. 54, 57) *bach, byr*
le petit déjeuner g. (tud. 16, 50, 58) *brecwast*
le petit pain g. (tud. 48) *rôl fara*
la petite-fille b. *wyres*
le petit-fils g. *ŵyr*
les petits pois g.lluos. (tud. 48) *pys*
peu ad. (tud. 1, 23, 50) *ychydig*, un peu (de) *ychydig o*
la peur b. *ofn* j'ai peur *mae arnaf ofn*
peut-être ad. *efallai*
le phare g. *goleudy, prif oleuadau (car)*
la pharmacie b. (tud. 21, 44, 61) *fferyllfa*
le/la pharmacien(ne) g./b. *fferyllydd*
la photo b. *ffotograff*
la phrase b. *brawddeg*
physique ans. *corfforol*
le piano g. (tud. 36) *piano*
la pièce d'identité b. *cerdyn adnabod, dogfen adnabod*
la pièce b. (tud. 36, 40) *darn, rhan*
la pièce de théâtre *drama*
le pied g. (tud. 60) *troed* à pied *(drwy) gerdded*
le/la piéton(ne) g./b. *cerddwr/cerddwraig*
la pile b. *batri*
le pique-nique g. *picnic*
piquer berf *pigo*
la piqûre b. *pigiad*
pire ad. (tud. 82) *gwaeth* le pire ad. *gwaethaf*
la piscine b. (tud. 21, 36, 38) *pwll nofio*
la piste b. *trac*
pittoresque ans. *tlws*
la pizza b. *pizza*
le placard g. *cwpwrdd*
la place b. *sgwâr*
le plafond g. *nenfwd*
la plage b. (tud. 18) *traeth*
se plaindre berf atb. *cwyno*
plaire à berf + à *plesio* ça me plaît *rydw i'n hoffi hyn'na*
le plaisir g. *pleser* avec plaisir *â phleser*
le plan g. *cynllun*
la planche à voile b. *bwrdd hwylio*
le plancher g. *llawr*

la plante g. *planhigyn*
le plastique g. *plastig* en plastique *wedi ei wneud o blastig*
le plat g. (tud. 51) *cwrs*
le plat du jour g. (tud. 51) *saig y dydd*
le plat principal g. *prif gwrs*
le plateau g. *hambwrdd*
les plats cuisinés g.lluos. *prydau parod*
plein(e) ans. *llawn* faire le plein berf *llenwi'r car â (phetrol)*
pleurer berf *crio, wylo*
pleuvoir berf (tud. 12, 19) *glawio*
pleuvoir à verse berf *tywallt y glaw*
le/la plombier/plombière g./b. *plymwr* (tud. 32)
la pluie b. *glaw*
la plupart b. (+de) *y rhan fwyaf (o)*
plus ad. (tud. 82) *mwy* ne ... plus *d(d)im mwy*
plusieurs rhag. (tud1) *amryw*
plutôt ad. *yn hytrach*
pluvieux/pluvieuse ans. *glawog*
le pneu g. *teiar*
la poche b. *poced*
le poids g. *pwysau* poids lourd *cerbyd nwyddau trwm*
le point g. *pwynt* à point *wedi ei goginio i'r dim/yn weddol*
la pointure b. *maint (esgidiau)*
la poire b. (tud. 48) *gellygen*
le poisson g. (tud. 48) *pysgodyn*
la poissonnerie b. (tud.44) *siop bysgod*
la poitrine b. *brest*
le poivre g. (tud. 48, 49) *pupur*
poli(e) ans. *boneddigaidd*
la police b. (tud. 26) *heddlu*
la police-secours b. *gwasanaethau argyfwng*
le/la policier/policière g./b. (tud. 32) *heddwas/heddferch, plismon/plismones*
pollué(e) ans. *llygredig*
la pollution b. *llygredd*
la pomme b. (tud. 48) *afal*
la pomme de terre b. (tud. 48) *taten*
les pommes frites b.lluos. (tud. 48) *sglodion*
le/la pompier/pompière g./b. *diffoddwr(wraig) tân*
le/la pompiste g./b. *gofalwr(wraig) pwmp petrol*
ponctuel(le) ans. *prydlon*
le pont g. *pont*
pop(ulaire) ans. *cerddoriaeth pop*
le porc g. (tud. 48) *porc/mochyn*
le port g. (tud. 25) *harbwr, porthladd*
la porte b. *drws*
le portefeuille g. *waled*
le porte-monnaie g. (tud. 26) *pwrs*
porter berf (tud. 30) *cario, gwisgo*
la portière b. *drws (car, trên)*
(le/la) portugais(e) ans./g./b. *o Bortiwgal, Portiwgead*
poser berf *rhoi, gosod*
possible ans. *posibl*
la Poste b. (tud. 21, 65) *swyddfa bost*
poster berf *postio*
le pot g. *jar, potyn, carton*
potable ans. (tud. 48) *yfadwy*
le potage g. (tud. 48) *cawl*
la poubelle b. *bin ysbwriel*
la poule b. *iâr*
le poulet g. (tud. 48) *cyw iâr*
pour ardd. (tud. 24) *i* pour commencer *i ddechrau* pour aller à *sut ydw i'n mynd i ...*
le pourboire g. *cildwrn*
pourquoi ad./cysyllt. (tud. 5, 37) *pam*
pousser berf *gwthio*
poussez *gwthiwch (drws yn agored)*
pouvoir berf (tud. 88, 90, 91) *gallu*
pratique ans. *ymarferol*
pratiquer berf *ymarfer, defnyddio*
précis(e) ans. *arbennig, manwl-gywir*
préféré(e) ans. (tud. 28) *hoff*
la préférence b. *hoffter*
préférer berf (tud. 39) *ffafrio*
premier/première ans. (tud. 1, 71) *cyntaf*
la première classe b. (tud. 24) *dosbarth cyntaf*
prendre berf (tud. 24, 34, 58) *cymryd*
le prénom g. *enw cyntaf*
préparer berf *paratoi*
près ad. + de (tud. 22, 38, 56) *agos*
présent(e) ans. (tud. 62) *presennol (yma)*

présenter berf *cyflwyno*
presque ad. (tud. 81) bron
presser berf *gwasgu* se presser berf atb. *brysio*
la pression b. *pwysedd, gwasgedd*
prêt(e) ans. *parod*
prêter berf *rhoi benthyg*
prévenir berf *rhagweld, rhybuddio*
prévisions météorologiques b.lluos. *rhagolygon tywydd*
prier berf *gweddïo*
le printemps g. *Gwanwyn*
la priorité b. *blaenoriaeth* priorité à droite *y dde sydd â'r flaenoriaeth*
privé(e) ans. *preifat*
le prix fixe g. (tud. 52) *pris penodol (e.e. bwydlen)*
le prix g. (tud. 14) *pris*
probable ans. *tebygol*
le problème g. *problem*
prochain(e) ans. (tud. 25) *nesaf*
proche ans. *agos*
le/la prof g./b. *athro/athrawes*
le/la professeur g./b. (tud. 32) *athro/athrawes*
la profession b. (tud. 32) *galwedigaeth, proffesiwn*
profond(e) ans. *dyfn*
le programme g. (tud. 41) *rhaglen*
le progrès g. *cynnydd, dablygiad*
la promenade b. (tud. 36) *tro*
faire une promenade berf *mynd am dro*
se promener berf atb. *cerdded*
promettre berf *addo*
la promotion b. (tud. 47) *dyrchafiad, cynnig arbennig (mewn siop)*
proposer berf *cynnig, awgrymu*
la proposition b. *awgrym*
propre ans. (tud. 23, 80) *glân, eich hun (e.e. fy ystafell fy hun)*
(le/la) propriétaire g./b. *perchennog*
protéger berf *amddiffyn, diogelu*
protester berf *protestio*
prouver berf *profi*
en provenance de ardd. *cyrraedd o*
provisions b.lluos. *bwyd, cyflenwadau*
la prune b. *eirinen*
la PTT = les Postes, Télécommunications et Télédiffusion *swyddfa bost a gwasanaeth telathrebu*
le public g. *y cyhoedd*
la publicité b. *cyhoeddusrwydd, hysbysebion*
puis ad. (tud. 5) *yna, wedyn*
le pull(over) g. (tud. 30, 47) *siwmper*
punir berf *cosbi*
le pyjama g. *pyjamas*
Pyrénées b.lluos. *Mynyddoedd y Pyreneau*

Q

le quai g. (tud. 24) *platfform*
quand cysyllt./ad. (tud. 5, 25, 58) *pryd*
quand même cysyllt. *er hynny*
la quantité b. *nifer, swm*
le quart g. *chwarter* et quart *chwarter wedi* moins le quart *chwarter i*
le quartier g. *ardal, rhan o dref*
quatre ans./g. *pedwar*
que cysyllt. (tud. 82) *na*
Québec g. *Quebec*
quel rhag. (tud. 2, 5, 25) *pa, pa un*
quelque(s) ans. (tud. 1) *rhai* quelque chose g. *rhywbeth*
quelqu'un rhag. *rhywun*
quelquefois ad. (tud. 3) *weithiau*
qu'est-ce que/qu'est ce-qui rhag. (tud. 5) *beth/ pwy...*
qu'est-ce qu'il y a? *beth sydd yna? beth sydd?*
la question b. *cwestiwn*
la queue b. *cynffon*
qui rhag. (tud. 5, 59) *pwy* qui est-ce que ...? = *pwy ....?*
la quinzaine b. *tua pymtheg*
quinze jours g.lluos. *pythefnos*
quitter berf (+ quelque chose) *gadael (e.e. gadael lle)*
quoi rhag. (tud. 59) *beth*

R

raccommoder berf *trwsio, atgyweirio*
raconter berf *adrodd, dweud*
le/la raconteur/raconteuse g./b. *storïwr(wraig)*

le radiateur g. *gwresogydd*
la radio b. (tud. 41) *radio*
le raisin g. *grawnwin*
la raison b. *rheswm* avoir raison berf *bod yn iawn, bod yn gywir*
ralentir berf *arafu*
la randonnée b. (tud. 36, 37) *heic*
ranger (e.e. une chambre) berf (tud. 58) *tacluso (e.e. ystafell wely)*
rapide ans./g. *cyflym*
rapidement ad. *yn gyflym*
rappeler berf (tud. 64) *ffonio'n ôl*
rare ans. *prin*
rarement ad. (tud. 3) *yn anaml, yn brin*
se raser berf atb. *eillio*
le rasoir g. *rasel*
rassembler berf *casglu ynghyd, cynnull*
ravi(e) ans. *balch iawn, wrth eich bodd*
le rayon g. *silff*
réaliser berf *gwireddu, cyflawni*
récemment ad. (tud. 41) *yn ddiweddar*
récent(e) ans. *diweddar*
la réception b. (tud. 14) *derbynfa, derbyniad*
recevoir berf (tud. 66, 90) *derbyn*
recommander berf *argymell*
la récompense b. *gwobr, tâl*
reconnaître berf *adnabod*
la récréation b. *hamdden, adloniant, amser chwarae (ysgol)*
la réduction b. (tud. 47) *gostyngiad*
réduire berf *gostwng*
réduit(e) ans. *gostyngol, wedi ei ostwng*
refuser berf *gwrthod*
regarder berf (tud. 41, 88) *edrych ar*
la région b. *ardal*
la règle b. (tud. 30) *rheol, pren mesur*
régler berf *addasu, datrys (problem)*
regretter berf *bod yn siomedig, hiraethu am*
régulier/régulière ans. *rheolaidd*
religieux/religieuse ans. *crefyddol*
la religion b. *crefydd*
remarquer berf *sylwi ar*
rembourser berf (tud. 47) *ad-dalu*
remercier berf (tud. 67) *diolch*
remplir berf *llenwi*
la rencontre b. *cyfarfod*
rencontrer berf *cyfarfod*
se rencontrer berf atb. *cyfarfod â rhywun*
le rendez-vous g. *cyfarfod*
prendre rendez-vous *trefnu i gyfarfod (rhywun)*
rendre berf *rhoi yn ôl*
rendre compte (de) berf atb. *bod yn ymwybodol o*
renseignements g.lluos. *gwybodaeth*
renseigner berf *rhoi gwybod i, hysbysu*
se renseigner berf atb. *gwneud ymholiadau*
la rentrée b. *dechrau'r tymor (ysgol)*
rentrer berf (tud. 92) *dychwelyd*
renverser berf *troi drosodd, newid trefn*
renvoyer berf *anfon yn ôl*
la réparation b. *atgyweiriad*
réparer berf *atgyweirio*
repas g. (tud. 50) *pryd*
repasser berf *smwddio*
répéter berf (tud. 31) *ailadrodd*
répondeur g. *peiriant ateb (ffôn)*
répondre berf *ateb*
la réponse b. *ateb*
se reposer berf atb. *gorffwys*
la réservation b. *archebu*
réserver berf (tud. 14) *archebu*
respecter berf *parchu*
responsable ans. *cyfrifol*
le restaurant g. (tud. 14, 21) *tŷ bwyta*
rester berf (tud. 14, 15, 92) *aros*
le résultat g. *canlyniad*
le retard g. *oediad* en retard (tud. 24) *yn hwyr*
le retour g. *dychweliad (taith)*
retourner berf (+à) (tud. 92) *dychwelyd (i)*
la retraite b. *ymddeoliad*
se retrouver berf atb. *cyfarfod*
réunion b. *cyfarfod*
réussir berf *llwyddo*
le réveil g. *cloc larwm*
se réveiller berf atb. *deffro*
revenir berf *dychwelyd*
rêver berf *breuddwydio*

au revoir ebych. *hwyl fawr*
la revue b. *cylchgrawn*
le rez-de-chaussée g. (tud. 16) *llawr gwaelod*
le Rhône g. *Afon Rhône*
le rhume g. *annwyd*
riche ans. *cyfoethog*
rideau g. (tud. 57) *llen, cyrten*
rien rhag. (tud. 23) *dim byd* de rien *peidiwch â sôn, croeso* ça ne fait rien *'does dim ots, 'does dim gwahanieth*
rire berf (tud. 91) *chwerthin*
rivière b. *afon*
le riz g. (tud. 48) *reis*
la robe b. (tud. 47) *ffrog*
le robinet g. *tap*
le rock g. *cerddoriaeth roc*
le roman g. *nofel*
le roman d'amour g. *nofel ramantus*
le roman d'aventures g. *nofel antur*
le roman d'épouvante g. *nofel arswyd*
rond(e) ans. *crwn*
rond-point g. *cylchfan*
(la) rose ans./b. (tud. 45) *pinc, rhosyn*
rôti(e) ans. (tud. 48) *wedi rhostio, rhost*
roue b. *olwyn*
rouge ans. (tud. 30, 45) *coch*
rouler berf *mynd (car)*
route b. *ffordd* la route nationale *priffordd*
roux/rousse ans. (tud. 54) *coch (gwallt)*
Royaume-Uni g. *Y Deyrnas Unedig*
la rue b. (tud. 1) *stryd*
le rugby g. *rygbi*

S

s'il te/vous plaît *os gweli di'n dda/os gwelwch yn dda*
sa ans. *ei – gweler* son
le sable g. *tywod*
le sac g. (tud. 26) *bag*
le sac à dos g. *bag cefn, sach deithio*
le sac à main g. *bag llaw*
le sac de couchage g. (tud. 14, 15) *sach gysgu*
sage ans. *doeth, da (plentyn)*
saignant(e) ans. (tud. 52) *gwaedlyd*
saigner berf *gwaedu*
sain(e) ans. *iach*
la saison b. *tymor*
la salade b. (tud. 48, 51) *salad*
le salaire g. *cyflog*
le salami g. *salami*
sale ans. (tud. 23) *budr/brwnt*
salir berf *baeddu*
la salle b. *ystafell*
la salle à manger b. (tud. 14, 16, 57) *ystafell fwyta*
la salle d'attente b. (tud. 24) *ystafell ddisgwyl*
la salle de bains b. (tud. 57) *ystafell ymolchi*
la salle de jeux b. (tud. 16) *ystafell chwaraeon*
la salle de séjour b. *ystafell fyw*
le salon g. (tud. 14, 57) *lolfa, ystafell fyw*
saluer berf *cyfarch*
salut ebych. (tud. 62) *haia, sut mae?, hwyl!*
samedi g. (tud. 2) *dydd Sadwrn*
la sandale b. *sandal*
le sandwich b. *brechdan*
le sang g. *gwaed*
sans ardd. *heb*
santé b. *iechyd*
le satellite g. *lloeren*
satisfaire berf (tud. 52) *bodloni*
la sauce b. *saws*
la saucisse b. *selsigen*
le saucisson g. (tud. 48) *selsigen oer*
sauf ardd. *ac eithrio, ar wahân (i)*
sauter berf *neidio*
sauvage ans. *gwyllt, anghymdeithasol*
sauver berf *achub*
se sauver berf atb. *rhedeg i ffwrdd*
savoir berf (tud. 90, 91, 97) *gwybod sut i wneud rhywbeth*
le savon g. (tud. 58) *sebon*
la science-fiction b. *ffuglen wyddonol*
les sciences b. lluos *gwyddoniaeth*
se rhag. *ei hun/ein hunain/eu hunain*
la séance b. *perfformiad, dangosiad, sesiwn*
sec/sèche ans. *sych*
sécher berf *sychu*

ad: *adferf* **ardd**: *arddodiad* **rhag**: *rhagenw* **ebych**: *ebychiad* **cysyllt**: *cysylltair* **ban**: *bannod*

le secours – au secours! ebych. help!
le/la secrétaire g./b. (tud. 32) ysgrifennydd/ysgrifenyddes
la sécurité b. diogelwch
la Seine b. Afon Seine
le séjour g. arhosiad
le sel g. (tud. 48, 49) halen
la semaine b. (tud. 2, 18, 37) wythnos
sembler berf. ymddangos
le sens g. (tud. 61) cyfeiriad, synnwyr
sensass, sensationnel(le) ans. (tud. 7) gwych, ardderchog
sentir berf teimlo, arogli
se sentir berf atb. teimlo'n (sâl, ac ati)
séparé(e) ans. (tud. 55) wedi gwahanu
séparer berf rhannu, gwahanu
sept ans./g. saith
septembre g. (tud. 3) mis Medi
sérieux/sérieuse ans. difrifol
serrer berf gwasgu, gafael yn dynn
serrer la main à quelqu'un ysgwyd llaw â rhywun
la serrure b. clo
sers-toi helpa dy hun
le/la serveur/serveuse g./b. gweinydd/gweinyddes
servi(e) ans. (tud. 16) cael ei weini
le service g. (tud. 52) gwasanaeth
le service (non) compris g. (tud. 52) gwasanaeth (ddim) yn gynwysedig
la serviette b. (tud. 49, 58) napcyn, tywel, lliain sychu
servir berf gweini sers-toi helpa dy hun
ses ans. ei (gwr.+ben.) – gweler son
seul(e) ans./ad. ar eich pen eich hun, unig
seulement ad. yn unig
sévère ans. llym
le shampooing g. siampŵ
le short g. (tud. 47) trowsus byr, siorts
si ebych. (tud. 70) os, ie, oes, oedd, ac ati
le siècle g. canrif
siffler berf chwibanu
signer berf arwyddo
s'il vous/te plaît ebych. (tud. 4) os gwelwch/os gweli di'n dda
le silence g. distawrwydd
simple ans. syml un aller simple g. tocyn unffordd/sengl
situé(e) ans. wedi ei leoli
se situer berf atb. bod wedi ei leoli
six ans./g. chwech
le ski g. (tud. 36) sgïo faire du ski berf mynd i sgïo
slip g. trôns
SNCF b. = Société nationale des chemins de fer français cwmni rheilffyrdd Ffrainc
la société b. cwmni
la soeur b. (tud. 33, 55) chwaer
soi rhag. (tud. 85) eich hun soi-même chi eich hun
la soif b. syched j'ai soif (tud. 49, 61) rydw i'n sychedig, eisiau diod
soigner berf gofalu am, edrych ar ôl (rhywun)
le soir g. noswaith, noson
la soirée b. noswaith, noson, min nos
le soldat g. milwr
les soldes b. lluos. (tud. 47) sêls
le soleil g. (tud. 19) haul il fait du soleil mae hi'n heulog
le sommeil g. cwsg
le sommet g. copa (mynydd)
son, sa, ses ans. (tud. 80) ei
le sondage g. arolwg
sonner berf canu (cloch)
la sonnerie b. caniad
sorte (de) b. (tud. 17) math (o)
la sortie b. allanfa
sortie de secours b. allanfa argyfwng
sortir berf (tud. 36, 92, 97) mynd allan
sortir la poubelle berf mynd â'r bin allan
le souci g. pryder, gofid
la soucoupe b. soser
soudain(ement) ad. yn sydyn
souffrir berf dioddef
soulager berf lleddfu, cysuro
le soulier g. esgid
souligner berf tanlinellu
la soupe b. (tud. 48) cawl
(le) sourire berf/g. gwenu/gwên
la souris b. (tud. 55) llygoden
sous ardd. (tud. 83) dan
sous-sol g. islawr
sous-titré(e) ans. gydag isdeitlau
sous-titres g.lluos. isdeitlau
le soutien-gorge g. bra
le souvenir g. cofrodd, swfenîr
se souvenir (de) berf atb. cofio
souvent ad. (tud. 3, 47) yn aml
les spaghettis g.lluos. sbageti
le sparadrap g. plastr (glynu)
spécial(e) ans. arbennig
spécialité (local) b. (tud. 48) bwyd arbennig (yr ardal)
le spectacle g. sioe (tud. 36, 40)
le/la spectateur/spectatrice g./b. gwyliwr/gwylwraig
le sport g. (tud. 36, 37) chwaraeon
sportif/sportive ans. hoff o chwaraeon
sports d'hiver g.lluos. chwaraeon y gaeaf
le squash g. (tud. 36) sboncen
le stade g. (tud. 21) stadiwm
le station de ski g. cyrchfan sgïo
le stationnement g. parcio
stationnement interdit dim parcio
stationner berf parcio
station-service b. gorsaf betrol
le steak g. stêc
la stéréo b. stereo, hei-ffei
Strasbourg g. Strasbourg
le stylo g. beiro, pen ysgrifennu
le sucre g. (tud. 48, 49, 50) siwgr
sucré(e) ans. melys
le sud g. (tud. 12, 23) de
le sud-est g. (tud. 23) de-ddwyrain
le sud-ouest g. (tud. 23) de-orllewin
la Suède b. (tud13) Sweden
le suédois g. Swedeg (yr iaith)
(le/la) suédois(e) ans./g./b. (tud13) Swedaidd, gŵr/gwraig o Sweden
suffir berf bod yn ddigon
la Suisse b. (tud. 13) y Swistir
(le/la) suisse ans./g./b. o'r Swistir, Swistirwr, Swistirwraig
suivant(e) ans. canlynol, dilynol, nesaf
suivre berf dilyn
le sujet g. pwnc
super ans. (tud. 39, 62) ardderchog, campus
le supermarché g. (tud. 21, 44) uwchfarchnad
le supplément g. (tud. 52) tâl ychwanegol
supplémentaire ans. ychwanegol
supposer berf tybio
sur ardd. (tud. 83) ar, ar ben
sûr(e) ans. sicr, siwr
surprenant(e) ans. syfrdanol, annisgwyl, rhyfedd
la surprise b. syrpreis
la surprise-partie b. parti (annisgwyl)
surtout ad. (tud. 47) yn arbennig, yn enwedig
surveiller berf gwylio, cadw golwg/ llygad ar
sus (de) ardd. yn ychwanegol (at)
le symbole g. symbol
sympa(thique) ans. (tud. 7) annwyl, dymunol, cyfeillgar
le syndicat d'initiative g. (tud. 17, 21) canolfan groeso (i ymwelwyr)

T

ta ans. dy – gweler ton
tabac g. (tud. 21, 44) siop bapur newydd
la table b. (tud. 52, 57) bwrdd
le tableau g. darlun, llun
le tablier g. ffedog
la taille b. (tud. 45) maint
se taire berf atb. tewi, bod yn ddistaw
tant (de) ad. cymaint o/cynifer o
tant mieux ad. gorau oll
tant pis ad. gwaetha'r modd
la tante b. (tud. 55) modryb
le tapis g. (tud. 57) carped, mat
tard ad. yn hwyr
le tarif g. pris
la tarte b. tarten (e.e. tarte aux framboises tarten mafon)
le tas g. pentwr
la tasse b. cwpan
le taxi g. tacsi
te rhag. (tud. 84) ti, ti dy hun
la technologie b. technoleg
le téléphone g. (tud. 64) ffôn
téléphoner berf ffonio
téléspectateur/téléspectatrice g./b. gwyliwr/gwylwraig
téléviseur g. set deledu
la télévision b. teledu
la température b. tymheredd
la tempête b. storm
le temps libre g. (tud. 30, 37) amser rhydd
le temps g. (tud. 12, 19) tywydd, amser
de temps en temps o bryd i'w gilydd
tenir berf (tud. 90) dal
le tennis g. (tud. 36, 37) tennis
la tente b. (tud. 14, 15) pabell
terminer berf gorffen, cwblhau
le terrain g. (tud. 21, 36) tir, maes
le terrain de camping maes gwersylla
le terrain de sport maes chwarae
la terrasse b. (tud. 52) teras
la terre b. daear, tir, pridd
tes ans. dy gweler ton
la tête b. (tud. 60) pen
le thé g. (tud. 48) te
le théâtre g. (tud. 21, 38) theatr
le ticket g. (tud. 24, 38) tocyn
tiède ans. claear
tiens ebych. dyma (fo)!
le timbre, timbre-poste g. (tud30,65) stamp timbre à 0,50 euro stamp 0.50 ewro
timide ans. swil
tire-bouchon g. tynnwr corcyn
tirer berf tynnu tirez tynnwch (i agor drws)
le tiroir g. drôr
le toast g. tôst
toi rhag. (tud. 56, 85, 97) ti toi-même rhag. ti dy hun
les toilettes b.lluos. (tud. 51) toiledau
le toit g. to
la tomate b. (tud. 48) tomato
tomber berf (tud. 92) disgyn
ton, ta, tes, ans. (tud. 80) dy
la tonalité b. sain ddeialu
tonner berf taranu
tonnerre g. taran
tort – avoir tort berf bod yn anghywir
tôt ad. cynnar
toucher berf cyffwrdd
toujours ad. (tud. 3, 23) bob amser
Tour de France g. Tour de France
la tour b. tŵr
le tourisme g. twristiaeth
le/la touriste g./b. twrist
tourner berf (tud. 22) troi
tous les jours g.lluos. bob dydd
tousser berf tagu
tout, toute, toutes rhag. (tud. 1, 57, 78) oll, i gyd, pob c'est tout? dyna'r cwbl?
tout à coup ad. yn sydyn
tout à fait ad. yn llwyr, yn gyfan gwbl
tout de suite ad. yn syth
tout droit ad. (tud. 16, 22) syth ymlaen
tout le monde g. pawb
toutes direction b.lluos. pob cyfeiriad
traduire berf cyfieithu
le train g. trên en train de yn y broses o ...
le trajet g. siwrnai
la tranche b. tafell, sleisen
tranquille ans. tawel
le transistor g. transistor
le transport g. cludiant
le travail g. (lluos. travaux) (tud. 33) gwaith
travailler berf (tud. 33) gweithio
les travaux g.lluos. gwaith
les travaux manuels g.lluos. gwaith llaw
les travaux pratiques g. lluos. gwaith ymarferol
traverser berf croesi (stryd)
très ad. (tud. 81) iawn
tricher berf twyllo
tricoter berf gwau
le trimestre g. (tud. 30) tymor
triste ans. (tud. 80) trist, digalon
trois ans./g. tri
troisième ans. (tud. 1) trydydd
tromper berf twyllo se tromper berf atb. bod yn anghywir
la trompette b. (tud. 36) trwmped
trop ad. (tud. 52, 81) rhy, gormod
le trottoir g. palmant
le trou b. twll
la trousse b. cas (e.e. cas pensiliau)
trouver berf (tud. 6, 23, 42) darganfod, canfod, dod o hyd i
le truc g. peth
le T-shirt g. crys T
tu rhag. (tud. 84) ti (anffurfiol, unigol)
le tube g. cân lwyddiannus
tuer berf lladd
typique ans. nodweddiadol

U

un/une ban./ans. (tud. 1, 80) un, bannod amhendant
l'uniforme g. (tud. 30) lifrai, iwnifform
unique ans. unig enfant unique g./b. unig blentyn
l'université b. (tud. 21, 34) prifysgol
l'urgence b. brys, argyfwng le cas d'urgence g. argyfwng
urgent(e) ans. brys
l'usine b. ffatri
utile ans. defnyddiol
utiliser berf (tud. 41) defnyddio

V

les vacances b. lluos. (tud. 14, 18, 30) gwyliau
en vacances ar wyliau
partir en vacances berf mynd ar wyliau
la vache b. buwch
la vaisselle b. golchi llestri
valable ans. dilys
la valise b. cês
la vallée b. dyffryn, cwm
valoir berf bod yn werth il vaut mae'n werth
la vanille b. fanila
variable ans. amrywiol, cyfnewidiol
le veau g. llo, cig llo
la vedette b. seren (e.e. sêr y ffilmiau)
végétarien(ne) ans. (tud. 49) llysieuydd/llysieuwraig
le véhicule g. cerbyd
le vélo g. (tud. 25, 29) beic
le vélomoteur g. moped
la vendange b. cynhaeaf grawnwin
le/la vendeur/vendeuse g./b. (tud. 32) cynorthwy-ydd/wraig siop
vendre berf (tud. 81, 91) gwerthu
(le) vendredi g. (tud. 2) dydd Gwener
venir de berf dod o, newydd (wneud rhywbeth)
venir berf (tud. 90, 91, 92) dod
viens-ici, venez-ici tyrd yma, dewch yma
le vent g. (tud. 19) gwynt il fait du vent mae'n wyntog
la vente b. gwerthiant
le ventre g. (tud. 60) stumog
vérifier berf gwirio
la vérité b. gwirionedd
le verre g. gwydr, gwydryn
vers rhag. tua, o amgylch, tuag at
la version française b. wedi ei throsleisio i'r Ffrangeg (ffilm)
la version originale b. y fersiwn wreiddiol, gydag isdeitlau (ffilm)
vert(e) ans. (tud. 45, 56) gwyrdd
la veste b. (tud. 47) siaced
le vestiaire g. ystafell gotiau/ ystafell newid
le vestibule g. cyntedd
le veston g. siaced (dyn)
les vêtements g.lluos. (tud. 47) dillad
le/la vétérinaire g./b. milfeddyg
le/la veuf/veuve g./b. gŵr gweddw/gwraig weddw
la viande b. (tud. 48) cig
vide ans. gwag
la vie b. bywyd
vieux/vieille ans. (tud. 26) hen
vif/vive ans. bywiog
le/la vigneron(ne) g./b. gwinllannwr(wraig)
le vignoble g. gwinllan
vilain(e) ans. (tud. 80) hyll, drwg
le village g. (tud. 56) pentref
la ville b. (tud. 23, 56) tref
le vin g. (tud. 48) gwin
le vinaigre g. finegr
une vingtaine b. tuag ugain
la violence b. trais
violet(te) ans. (tud. 45) porffor
le violon g. (tud. 36) ffidil
le violoncelle g. (tud. 36) soddgrwth, sielo
le virage g. tro, troad, cornel
le visage g. wyneb
la visite b. ymweliad
visiter berf (tud. 17) ymweld â (rhywle)
le/la visiteur/visiteuse g./b. ymwelydd
vite ad. (tud. 80, 81) yn gyflym
la vitesse b. cyflymder, gêr (car neu feic)
la vitrine b. ffenestr (siop)
vivant(e) ans. (tud. 23) byw
vivre berf (tud. 23) byw
voici ardd. dyma
la voie b. ffordd
voilà ardd. dyna
la voile g. fêl
voir berf (tud. 17, 90, 91) gweld
se voir berf atb. gweld ei gilydd
le/la voisin(e) g./b. cymydog/cymdoges
la voiture b. (tud. 25, 29) car
la voix b. llais
le vol g. hedfan, ehediad
voler berf (tud. 26) hedfan, dwyn
le volet g. caead (ffenestr)
le/la voleur/voleuse g./b. lleidr, lladrones
le volley g. pêl-foli
volontiers ad. gyda phleser, yn llawen
votre, vos ans. (tud. 80) eich
vouloir berf (tud. 89, 91) eisiau je veux bien byddwn yn fodlon iawn
je voudrais hoffwn
vouloir dire berf golygu
vous rhag. (tud. 84, 85) chi (lluosog ffurfiol) vous-mêmes rhag. chi eich hunain
le voyage g. (tud. 19) siwrnai, taith
voyager berf teithio
le/la voyageur/voyageuse g./b. teithiwr/teithwraig
vrai(e) ans. (tud. 31, 37) gwir, cywir
vraiment ad. yn wir, mewn gwirionedd
le VTT – vélo tout-terrain g. beic mynydd
la vue b. golwg

W

les W.C. g.lluos. toiled, tŷ bach
le wagon-restaurant g. cerbyd bwyta
le week-end g. (tud. 2, 37) penwythnos

X,Y

y rhag. (tud. 85) yna, yno, am, etc.
le yaourt g. (tud. 48) iogwrt
les yeux g.lluos. (tud. 54, 60) llygaid (unigol. oeil)

Z

zéro ans. (tud. 1) dim, sero
la zone piétonne b. parth cerddwyr
le zoo g. (tud. 21) sw
zut ebych. twt!, daro!, daria!

ALLWEDD
g. enw gwyrywaidd
b. enw benywaidd
lluos. lluosog
berf: berf
berf atb. berf atblygol
ans. ansoddair (disgrifio enw)
ad. adferf (disgrifio berf neu ansoddair)
ardd. arddodiad (cysylltu'r ferf â lle, peth neu berson : e.e. 'i', 'at', 'gyda')
rhag. rhagenw (cymryd lle enw: e.e. 'ef', 'fi')
ebych. ebychiad (sefyll ar ei ben ei hun: e.e. 'helo!')
cysyllt. cysylltair (cysylltu dwy ran brawddeg: e.e. 'ac' ac 'oherwydd')
ban. bannod (e.e. 'un', 'le')

Mynegai

Mynegai